Christian Hauvette

Editorial Gustavo Gili, S.A.

08029 Barcelona Rosselló, 87-89. Tel. 322 81 61
México, Naucalpan 53050 Valle de Bravo, 21. Tel. 560 60 11

Christian Hauvette

Introducción/*Introduction*
Marie-Hélène Contal

GG®

Catálogos de Arquitectura Contemporánea
Current Architecture Catalogues

A cargo de/*Editor of the series*
Xavier Güell

Traducciones/*Translations:*
Santiago Castán/Graham Thomson

El texto, con excepción de la introducción, es de Christian Hauvette
The text, with exception of the introduction, is by Christian Hauvette

© Editorial Gustavo Gili, S.A., Barcelona 1997

Printed in Spain
ISBN: 84-252-1657-5
Depósito legal: B. 42.938-1996
Impresión: Grafos, S.A. Arte sobre papel

Índice

Contents

Christian Hauvette

Marie-Hélène Contal

Christian Hauvette

Marie-Hélène Contal

Soy un ciudadano efímero y nada insatisfecho de una metrópolis desbordantemente moderna.

Christian Hauvette pertenece a la primera generación de la primavera arquitectónica francesa, de ese fenómeno cuyo origen se localiza en los años 70 y que se ha propagado desde los 80 hasta nuestros días. Hablar de una "primera generación" en modo alguno significa que la arquitectura contemporánea francesa naciera ayer, sino, más bien, que después de los desastres que desencadenó una "reconstrucción torpe", a base de una urbanización arbitraria y de una industrialización masiva, hubo que esperar hasta las postrimerías de los 70 para que Francia restableciera lazos con una calidad arquitectónica que no era fruto del heroísmo de algunas personas en lucha, sino de la actividad de un conjunto, otra vez nutrido, de arquitectos de categoría. Los acontecimientos de mayo del 68 explican en gran manera esta evolución. El movimiento de mayo tuvo realmente consecuencias sobre la arquitectura: la reforma de la enseñanza, la puesta en cuestión de la industrialización pesada, la crítica generalizada de las condiciones de producción, de la arquitectura, de la ciudad. Los años 70 dan paso a una falange de nuevos arquitectos, todos ellos muy diferentes pero vinculados por una circunstancia generacional: la participación en la misma conciencia histórica, el ánimo de reconstruir casi científicamente una disciplina, un debate teórico, el compromiso cívico por el que reivindicar otras políticas urbanas o técnicas. Una generación unida, finalmente, por una última pregunta (¿ansiedad?): ¿qué papel, qué sentido debe asignarse a la arquitectura, considerando que los arquitectos de los años 60 no supieron dominar las presiones de la industrialización, y desde una perspectiva que contempla una metropolización igualmente masiva y "apremiante"?

Dentro de esta generación y en el seno del debate francés, Christian Hauvette ha sido en dos ocasiones, de momento, un actor destacado, colocándose, ante todo, en la posición del intelectual comprometido en la reconstrucción de un lenguaje y de una ética arquitectónicos. Si en los ambientes de entonces se registraban búsquedas similares, lo cierto es que nuestro personaje fue por estas vías por delante del resto, extrayendo de las ciencias humanas, del arte moderno y de la reflexión sobre la técnica el material para una doctrina bastante decisiva sobre la concepción arquitectónica. Poco después, en 1985, Hauvette inicia una experiencia como

I am an ephemeral and far from dissatisfied citizen of a crude modern metropolis.

Christian Hauvette belongs to the first generation of French architectural renewal, a phenomenon that has its origins in the 70s, and has been bearing fruit from the 80s up to the present. To speak of a "first generation" is by no means to suggest that French contemporary architecture was born yesterday... Rather, it amounts to saying that after the disasters of a "heavy reconstruction" —the product of an unmeditated urbanization and massive industrialization— it was not until the late 70s that France renewed its architecture with a quality that was no longer attributable to the heroic struggles of a few individuals but to the action of a once again almost normally numerous population of architects of quality. The events of May '68 go a long way towards explaining this evolution.. The May movement had, in effect, various consequences for architecture: reforms in education, the questioning of heavy industrialization, a general critique of the conditions of production, of architecture and of the city... In its wake, the 70s saw the emergence of a phalanx of new architects, extremely diverse yet linked by a generational factor: the sharing of a common historical consciousness, the will to reconstruct almost scientifically a discipline, a theoretical debate, an engagement with society, calling for changes in policy, urban and technical... A generation linked, in the last analysis, by a final question (or anguished concern?): what role, what sense was to be assigned to achitecture, given that the architects of the 60s had proved incapable of withstanding the pressures of industrialization, and against the perspective of an equally massive and "pressing" metropolization?

At the heart of this generation and of the French debate, Christian Hauvette has up till now gained recognition for two distinct roles. He first of all situated himself as an intellectual, engaged in the reconstruction of a language and an ethics of architecture. And if researches of such a kind were then very much in the air, he advanced further than most along those lines, drawing from the social sciences, modern art, reflections on techniques and so on the elements of a highly developed doctrine of architectonic conception. He then went on, in 1985, to pursue a career as a developer. His trajectory here is marked out by buildings often of considerable importance, in scale and status, in which the architecture turns away from both of the tendencies so enduringly established in France:

constructor, un camino jalonado de edificaciones, a menudo obras importantes en tamaño y status, en las que la arquitectura da la espalda a las dos tendencias que por tanto tiempo se instalaron en Francia: el racionalismo moderno, por un lado, y la búsqueda de un cierto lirismo formal de inspiración más elaborada, por otro.

Esta trayectoria, sin ser entonces única en Francia,[1] es lo bastante singular como para demorarse un poco en ella antes de pasar a la obra creativa. ¿Qué relaciones deberá buscar la crítica entre estas dos etapas para clarificar la lectura de sus proyectos? Sería tentador, por ejemplo, subordinar la segunda etapa a la primera: el arquitecto, construyendo una idea se construye a sí mismo, y sus edificios serán la ilustración de la doctrina previa. Y también lo sería ignorar la formación primordial del arquitecto: una arquitectura de calidad ha de poder descifrarse sin recurrir a la biografía del autor. Después de reflexionar hemos optado por una tercera actitud: observar y criticar la producción de Christian Hauvette como la concurrencia de una trayectoria singular y de una demanda social (expresión que, aquí, denota el conjunto de necesidades al que la arquitectura da respuesta y sentido). Por su parte, esta actitud no responde a una doctrina sino a cierta curiosidad. Escribimos para intentar comprender cómo un "intelectual" tan implicado en la especulación teórica, tan deseoso de abstraerse de las contingencias (los modelos, la composición, la materia e incluso la ciudad), de instituir el proyecto en un objeto aislado y de erigir la arquitectura en un lenguaje puro, cómo tal persona ha podido convertirse en un arquitecto premiado en una disciplina tan gravada en Francia de misiones y representaciones suplementarias.

La mayoría de edificios construidos por este arquitecto responde a lo que en Francia se denomina "encargo público", es decir, la construcción de equipamientos con arreglo a la política marcada por la administración. Considerando que desde los años 80 esta política se fundamenta en un retorno a la ciudad, el nuevo modelo de la administración consiste en asignar a los equipamientos el papel de reestructurar los tejidos urbanos.

Tales inquietudes quedaban bastante lejos de la trayectoria seguida por Christian Hauvette, trayectoria en que el proyecto no obedecía a los mandatos de la ciudad, sino a las leyes internas que ésta dictaba, a su mecánica intrínseca; de ahí que sorprenda que este arquitecto haya podido construir tanto.

neo-modern rationalism, and the pursuit of a certain lyricism of form, more composite in inspiration.

This itinerary, without being unique in the France of the time,[1] is sufficiently singular to detain us for a moment before moving on to the work. What relationships should criticism seek to establish between these two phases in order to illuminate a reading of the projects? It would be tempting, for example, to subordinate the second phase to the first: in constructing a line of thought, the architect has constructed himself, and his buildings would then be the illustration of the doctrine that prefigured them. It would be equally tempting to ignore the architect's early training: an architecture of quality ought to be clearly decipherable without recourse to the architect's biography... After some thought, I have opted for a third approach: to consider and evaluate Christian Hauvette's output as the coming together of a singular trajectory and a social demand (which here signifies the series of needs to which architecture responds and gives meaning). This is a position that does not derive in effect from a doctrine but from a certain curiosity... I am writing in order to try to understand how an "intellectual" —being at this point engaged in theoretical speculation, having sought so much to abstract away the contingencies (the models, the composition, the materials, even the city...), having sought so much to make the project a single, free-standing object and architecture a pure language— how such a figure should have come to be an award-winning architect in a discipline as loaded as it is in France with supplementary missions and representations...

The majority of the buildings constructed by this architect came about as the result of what is known in France as "commande publique"; commissions for the construction of civic amenities in line with a policy determined by the state. In effect this has been, since the 80s, a policy of returning to the city, with the new and exemplary function of the state being to endow such facilities with the role of restructuring the urban fabric.

Such preoccupations are sufficiently remote from the approach adopted by Christian Hauvette, in which the project does not submit to the city but to its own internal laws, to its interior mechanics. It is therefore surprising that he has been able to build so much.

I want to show here, however, that it is precisely this radical proposal that has been embraced, albeit in an oblique fashion, it must be said. In contrast to other contemporary

Queremos, empero, demostrar que lo que precisamente se ha comprendido, aunque, bien es verdad, de modo sesgado, es esta radical idea. A diferencia de otras arquitecturas contemporáneas, sus "objetos, poseedores de fuerte coherencia" no han pretendido solventar los problemas generales de los emplazamientos respectivos, sino que se enuncian, se leen a la luz de una lógica estricta que descansa en una gramática y en un vocabulario. Ellos reclaman a los actores que empleen la razón, ellos dan indicaciones, y por este motivo aciertan a aportar al lugar donde se implantan —en cuantía igual o mayor que lo hagan arquitecturas más generosas— un poco de civilización, y lo hacen con las únicas herramientas del análisis y de la geometría, y con la asistencia de una bella estratagema que, por el momento, dejaremos aún por desvelar.

Antes, volvamos al proceso por el que se forjó el arquitecto.

Destruir, construir

"Provengo de una cultura de ingenieros", dice Christian Hauvette, a modo de justificación —y seguramente también de simplificación— de su aborrecimiento por el romanticismo (léase "inspiración", "disposición general", "gesto") y por la ambigua relación de éste con el espacio. Para precisar los orígenes de una vocación agrega que entonces tuvo la seguridad de ser a la vez "un mecánico capaz y un artista incompetente", y que escogió la arquitectura para hacer converger y regular estas dos fuentes de interrogantes; este planteamiento se produjo en el contexto de los años 65, es decir, en los tiempos de una Escuela de Bellas Artes consumida y de una producción arquitectónica de mediocridad desalentadora. Es fácil comprender que el futuro arquitecto marche a otra parte a buscar sus maestros.

No hay que olvidar que se trata de una generación de arquitectos franceses que tuvo que beber de otras fuentes del saber para aprender, nuevamente, a actuar; unos optaron por las ciencias humanas, la sociología, la economía política y sus relaciones con la práctica, otros se inclinaron por la historia, por rehacer la historia de la arquitectura moderna retornando a la esencia del embrión, y algunos más miraron al cine, como modo narrativo y lingüístico, o al arte moderno, en lo que a la aprehensión del espacio y de la materia se refiere... (París ofrecía de todo, allí podía darse con Barthes o Lacan, Foucault o Althusser, Wim Wenders o Bob Wilson...)

architectures, Hauvette's "objects with strong internal coherence" have not sought to regulate any of the general problems of their respective sites. What they do is declare themselves, they are read in terms of a rigorous logic, underpinned by a grammar and a vocabulary. They summon the agents to make use of reason, they set the guidelines, and it is in this that they have proved capable of introducing, there where they situate themselves, as much as or even more than more generous architectures, a touch of civilization... And they do this with no other tools than analysis and geometry. And with the aid of a fine historical stratagem that I do not intend to reveal just yet.

But let us return to the architect, as he is constructed.

Destruction, contruction

"I am the product of an engineering culture", Christian Hauvette remarks, in order to explain —and no doubt to simplify— his rejection of Romanticism ("inspiration", "disposition", "gesture") and his ambiguous relationship with space. He adds, in order to clarify the origins of a vocation, that he then had the conviction of being at one and the same time "a capable engineer and an incompetent artist", and of having chosen architecture as a means of drawing together and ordering these two sources of interrogation. But the latter choice was situated in the context of the mid-60s, with an exhausted school of Fine Art, and an architectural production of a disturbing mediocrity. It is easy to understand that the future architect had to look elsewhere for his guiding lights.

We should bear in mind here that an entire generation of French architects turned to other disciplines in order to relearn their craft; some opted for the social sciences, sociology, political economy and their relationships with practice; some turned to history, in order to remake the history of modern architecture, going back to the original corpus, while others looked to the cinema as a mode of narrative and language, or to modern art in its apprehension of space and matter... (Paris at that time offered everything, given the possibility of encountering there Barthes or Lacan, Foucault or Althusser, Wim Wenders or Bob Wilson...)

At this great Parisian feast of knowledge, Christian Hauvette at first chose urbanism as a social and political discipline, studying under Henri Lefèbvre, and semiology, with Roland Barthes; two formative experiences that were decisive

Vista de una de las fachadas de la Facultad de
Derecho y Ciencias Económicas, Brest

*View of one of the facades of the Faculty of Law
and Economic Science, Brest*

En tan colosal banquete de sabiduría, Christian Hauvette eligió, para empezar, el urbanismo como disciplina social y política de manos de Henri Lefèbvre y la semiología de las de Roland Barthes, dos conocimientos, decisivos para la estructuración de su pensamiento que tendemos a considerar independiente del tronco común de esta generación. No nos detendremos en esos conocimientos más que para indicar que fijaron permanentemente en el arquitecto dos recelos, uno hacia el "angelismo urbano" —nostalgia de una morfología urbana que se mantuviera bajo el gobierno de la programación y de los planos—, y hacia el "angelismo creador" y su confianza más en el lirismo que en el análisis y la razón.

A nuestro juicio fueron así mismo determinantes otros dos encuentros. El primero, en el Conservatoire des Arts et Métiers, con Jean Prouvé y su curso de construcción aplicada.[2] Christian Hauvette recuerda que con Jean Prouvé descubrió la materia, cómo trabajarla y la mezcla de juego y ciencia que se utiliza para doblegarla, pero también la industria, o sea, la inteligencia de los procesos utilizados en obra para crear, para producir un objeto: "Jean Prouvé dibujaba en la pizarra cómo se construía un coche, cómo funcionaba un motor, la localización de las piezas y de los ejes de transmisión, cómo se fabricaban un chasis, el habitáculo, las piezas de la carrocería, fueran embutidas o ensambladas. Exponía la lógica constructiva como si fuese un relato. Jean Prouvé me demostró que existía la posibilidad de ser ingeniero y creador". Por cierto, al curso que impartía le dio el título de L'art appliqué aux métiers. Los escasos arquitectos que conocieron este curso pudieron a buen seguro descubrir una definición de la estética radicalmente distinta de la que se enseñaba en Bellas Artes. Refiriéndose a "las artes aplicadas a los oficios" Jean Prouvé explicaba también que el objeto industrial da fe del grado de civilización de la sociedad que lo produjo, a través de su diafanidad de máquina, sin que fuese preciso expresarlo mediante una sobrecarga de símbolos o de "imágenes significantes".

El segundo de estos decisivos encuentros fue con el artista francés Denis Pondruel. Mecánico y escultor, Pondruel se dio a conocer con la construcción de autómatas que, coordinados, hacían representaciones tales como El Cid, Otelo, etc. Buscando un "contacto" con el arte más directo, más subjetivo que el que le proporcionara Jean Prouvé, en esta ocasión Christian Hauvette halló una justificación adicional para escoger la vía "maquínica" como proceso de creación:

for the structuring of his thought, but which need perhaps to be regarded as constituting the common ground of his generation... We need not, then, detain ourselves long over these, other than to remark that they surely served to implant in the architect's mind two enduring distrusts: of urban "angelism" or etherealism —the nostalgia for an urban form that would remain subject to the management of the layout and the plan— and of creative "angelism" and its faith in lyricism over and above analysis and reason.

Two other encounters would seem to have been more decisive. The first, at the Conservatoire des Arts et Métiers, was with Jean Prouvé and his course in applied construction.[2] Christian Hauvette recalls that Prouvé introduced him to material and its handling, the combination of science and the play with what it treats, and also to the construction industry, in other words, the understanding of the processes at work in the creation, the production of an object: "Jean Prouvé drew up on the blackboard the construction of an automobile... how an engine works, the position of its component parts and drive shafts, how a chassis is put together, the interior, the elements of the coachwork, stamped out and fitted together. He set forth construction logic like a narrative. It was he who showed me that it was possible to be both engineer and creative artist..." In fact, he had entitled his course "Art applied to craft". The few architects who attended Jean Prouvé's classes were thus enabled, in effect, to discover a definition of aesthetics radically different from that being taught in Fine Art; in speaking about "art applied to craft", Prouvé also explained that the industrial object bears testimony to the degree of civilization of the society that produced it by virtue of its own clarity as a machine, without any need for it to be expressed in an overloading of symbols or "signifying images".

The second decisive encounter was with the French artist Denis Pondruel. Engineer and sculptor, Pondruel made his reputation with the construction of automata, designed and set up to perform together: Le Cid, Othello... In pursuit of a more direct, more subjective "contact" with art than the one expounded by Jean Prouvé, Christian Hauvette undoubtedly found here a supplementary justification for his choice of the "machinistic" approach as creative process: "... according to Le Cid (by D. Pondruel), sculpture is mechanics plus myth, with mechanics being put forward as a major cultural category, on the same level as rhetoric, for example...".[3]

"... según *El Cid* (de D. Pondruel), la escultura es mecánica más mito, entendiendo la primera como categoría cultural primaria, a semejanza, por ejemplo, de la retórica".[3]

Igualmente reconoce, gracias al trato con el escultor, haber desbrozado "el tema del contexto": "Denis Pondruel ha concebido una teoría exonerada de la relación de la obra con el contexto. Con él descubrí que una obra se realiza para *percibirla,* siendo la intensidad de percepción que se posee de la misma lo que determina aquella relación". Con menor radicalidad, se podría decir que el arquitecto apeteció primero y quiso después asimilar la libertad con la cual el artista prende el contexto que él puede tratar como realidad física o geográfica en bruto, y no como trama prefijada de ocupación urbana a que deba sujetarse su obra.

Entre este aprendizaje y los primeros proyectos transcurrieron varios años, durante los cuales el arquitecto luchó para dominar las aportaciones de una formación ecléctica... Con todo, este itinerario invitó a Christian Hauvette a buscar una lógica creativa que rechazara la "composición" en favor de la regulación, las referencias en favor de la inventiva, de modo que el proyecto pasara a ser un sofisticado objeto técnico que se inventa, se monta y se coloca donde sea de utilidad. Cuando los mejores de su generación hacían, igual que él, "tabla rasa" para fundar de nuevo la disciplina, ese planteamiento no era más legítimo que otro cualquiera. Si los años 70 marcaron en Francia el despertar de la arquitectura, a él le señalaron otros objetivos que la realización de "objetos mecánicos con fuerte coherencia interna".

Nacimiento de una demanda social

En estos años marcados por la vuelta a lo urbano, los franceses se atemorizaron ante las consecuencias de la renovación urbana y del desarrollo de las periferias, en suma, ante la "metropolización" del territorio. Convergiendo con el proceso que los arquitectos jóvenes llevaban contra la industrialización y sus secuelas, esta crisis no les pasó a éstos inadvertida.

Sin embargo, las respuestas que los "nuevos arquitectos" empezaron a buscar para solventar la crisis urbana no fueron unívocas. A partir de 1975, y pese a cierto desvaimiento registrado en el análisis "del hecho metropolitano", este último creó en el debate una línea de fractura que, si hoy en día no es ampliamente reconocida, a nuestro modo de ver es concluyente; se trata de la línea que diferencia, por un lado, a

At the same time he also acknowledges having gained a clearer insight, through his contact with the sculptor, into "the question of the context": "Denis Pondruel produced a guilt-free theory of the relationship between the work and the space. I discovered from him that a work is made to be perceived, and that it is the strength of the perception we have of it that establishes a relationship with the context". Less radically, we might say that the architect envied and set out to assimilate the freedom with which artists take hold of the context, which they are able to treat as a physical reality or as an unrefined geography, and not as a preestablished framework of urban occupation to which the architecture must submit.

A number of years elapsed between Hauvette's period as a student and his first projects. The architect was at pains to come to terms with the input provided by an eclectic education... In particular, this course of study engaged Christian Hauvette in researching a highly individual logic of conception, rejecting "composition" in favour of adjustment, references in favour of invention, the project becoming a sophisticated technical object, that is invented, that is, in effect, assembled, and positioned on the site of its useful function. At a time when the finest talents of his generation were similarly engaged in establishing a "tabula rasa" in order to refound the discipline, such an approach was no more illegitimate than any other. However, the 70s, in reawakening architecture in France, were to assign to Hauvette other purposes than the production of "objects with strong internal coherence".

Birth of a social demand

Those years were in effect marked above all by a return to the urban; the French, faced with the results of urban renewal and the growth of the peripheries, were afraid of the "metropolization" of the territory. This crisis, converging with the process of opposition to industrialization and its consequences being conducted by the young architects, did not pass unnoticed by these...

Nevertheless, the responses which the "new architects" were then beginning to look for in order to resolve the urban crisis were not uniform and unitary. Starting in the mid-70s, and in spite of a certain vagueness in the analysis of the "metropolitan fact", this fact created a line of fracture in the debate which, although not perhaps widely recognized today appears to me to be conclusive; this is none other than the line that dif-

quienes apoyan la conservación, por medio de la arquitectura, de un tejido denso que garantice una civilización urbana y por otro, los arquitectos que admiten la metropolización del territorio, o lo que es igual, la extensión de una urbanización discontinua que la arquitectura debería acompañar y no combatir, imponiéndose la misión de elaborar una civilización metropolitana auténtica.

Los primeros, a fin de levantar otra vez la disciplina de la Arquitectura, pudieron apoyarse en seguida en la demanda social, en un saber que vinculaba íntimamente la arquitectura con el tejido urbano. Esta investigación, fundamentada en una cultura histórica sólida y conducida por algunas figuras principales (entre otras, Christian de Portzamparc) conserva todavía su fecundidad.

Los segundos, en nombre de la misma preocupación de refundación,[4] tomaron un curso opuesto a la demanda social, alejándose de ésta para elaborar, mediante proyectos-manifiestos, una visión, una estética de la metrópolis en que la cita con los usuarios sería tardía, pero ineludible. Este planteamiento, abierto a las vanguardias (cine, artes plásticas, teatro) para refundir una estética, encontró, y conserva, en Jean Nouvel el principal protagonista.

Cuando el estado tomó el relevo de opinión y creó una "misión en pro de la calidad de las obras públicas" encargada de llevar a cabo una nueva política, se volvió, principalmente, hacia los defensores de la *urbanité* para "rehacer la ciudad", habida cuenta que entre ellos la idea estaba muy afianzada.[5]

Como Christian Hauvette formaba parte del grupo de los "metropolitanos", compartió con éstos su destino: el acceso tardío a la construcción. Este período de espera lo pasó Christian Hauvette teorizando, asimilando conocimientos y construyendo su doctrina tal como la expusiera en 1980:

"Bajo la forma de teoremas, indicaré hacia dónde apuntan mis preferencias y cuáles son mis direcciones, confiando en que proporcionen otros valores que no sean los estrictamente personales:

1- Nunca hubo ni habrá producción arquitectónica en la mera multiplicación de elementos idénticos; **no hay producción de significados más que por el juego de oposiciones de unidades semánticas.**

2- El nivel de calidad de una arquitectura se evalúa en función de la riqueza, sutileza y sofisticación de las oposiciones; se desarrollará un "lenguaje" arquitectónico complejo, plural, responsable y polisémico.

ferentiates, on the one hand, those in favour of the conservation by means of architecture of a dense fabric capable of maintaining an urban civilization and, on the other hand, those architects who admit the metropolization of the territory or —and it amounts to the same thing— the extension of a discontinuous urbanization which architecture should go along with rather than struggle against, taking on itself the mission of configuring a genuinely metropolitan civilization.

The former, in their efforts to resurrect the discipline of Architecture, could immediately take social demand as their basis, with a body of knowledge that intimately associated architecture with the urban fabric. This approach, founded on a solid historical culture and spearheaded by various outstanding figures (amongst them Christian de Portzamparc) still retains all its fecundity.

The latter, in the name of the same concern with the refounding of the discipline,[4] took the opposite course to social demand, distancing themselves from this in order to elaborate, on the basis of manifesto-projects, a vision and an aesthetic of the metropolis in which the engagement with the users came late, but was inevitable. This approach, open to the avant-gardes (in film, the visual arts and theatre) in its concern with refounding an aesthetic, found —and still retains— its leading exponent in Jean Nouvel.

When the state took over from opinion and created a "mission in favour of the quality of public works", entrusted with implementing a new policy, it turned principally to the upholders of urbanité to "remake the city", in the knowledge that this idea was firmly implanted in their approach.[5]

Since Christian Hauvette had associated himself with the "metropolitan" group, he shared their fortunes, coming late to construction. Hauvette devoted this period of waiting to theoretical exercises, assimilating new knowledge and elaborating his doctrine as he expounded it in 1980:

"In the form of theorems, I will indicate the direction signalled by my preferences, and what my directions are, trusting that these will provide other values that are not strictly personal:

1- There never was and never will be architectonic production in the mere multiplication of identical elements; **there is no production of meaning other than through the play of oppositions of semantic units.**

2- The level of quality of an architecture is evaluated in terms of the richness, subtlety and sophistication of the oppo-

3- Si la arquitectura del habitante es la de la "fisonomía externa", la arquitectura del arquitecto, del transeúnte/espectador es la de los itinerarios: éstos se compondrán de sucesiones de signos con referencias claras y sujetos a control.

4- Debido a causas ideológicas, la generación precedente ha abusado en exceso del espacio abierto: **el lugar arquitectónico será, preferentemente, preciso y cerrado.**

5- **La calidad de la ciudad es así mismo fruto de la calidad de la inteligencia humana que cristalice en cada uno de los edificios** que componen la misma, a despecho, con frecuencia, de yuxtaposiciones y continuidades que se produzcan. Una arquitectura que tenga una base histórica considera la ruptura como un antecedente cultural; desde esta perspectiva, la integración no será objeto de investigación, sino que se considerará subordinada a la inventiva formal.[6]

Primeros proyectos. Tramas y retículas

El tránsito a los años 80, el impulso de los *Grands Travaux* a escala "metropolitana" modificaron esta evolución; la elección por el IMA del proyecto de Jean Nouvel, y el debate que suscitó el concurso para el Parc de la Villette (con Rem Koolhaas y Bernard Tschumi como "finalistas") significaron la visión metropolitana de la ciudad —visión muy distinta a otras— que coloreó las políticas públicas francesas.

Lógicamente, los primeros concursos que Christian Hauvette ganó se inscriben en esta ola de arrastre cuyas bases son típicas de los años 80: ambición política ratificada y planes de envergadura que, en lo sucesivo, se localizarán en nuevas ciudades o en las zonas periféricas.

A través de la mezcla de una "subdeterminación teórica" y de un pensamiento constructivo que se indaga, estos proyectos son el testimonio de un pensamiento en desarrollo. El arquitecto se muestra más seguro de lo que rechaza que de lo que anuncia y se vale del encargo como de un laboratorio. Por eso nuestro estudio puede orientarse conforme a diversos ejes, a saber: la relación con la ciudad —en primer lugar—, la composición, la construcción y la materia.

Facultad de Derecho de Brest. Cámara Regional de Cuentas de Rennes. En las obras de Brest y Rennes podría desde luego dejar de evocarse esa relación con la ciudad a la que damos tanta importancia, no en vano ambos equipamientos se hallan "a las afueras", faltos de tejido y de paredes medianeras. No obstante, resulta que este género de zonas

sitions; a complex, plural, responsible and polysemous architectonic "language" will be developed.

3- If the architecture of the inhabitant is that of the "external physiognomy", the architecture of the architect, of the passer-by/spectator, is that of the itineraries: these will be composed of successions of signs with clear references, and subject to control.

*4- For ideological reasons, the previous generation has abused to excess the open space: **the architectonic place will preferably be precise and closed.***

*5- **The quality of the city is equally the product of the quality of the human intelligence crystallized in each of the buildings** that compose it, often in spite of the juxtapositions and continuities that may be produced. An architecture that would have a historical basis will consider radical rupture as a cultural antecedent; from this perspective, integration will not be an object of investigation, but will be considered as subordinated to formal inventiveness.[6]*

First projects. Frames and grids

The transition to the 80s and the impetus of the Grands Travaux *on a supremely "metropolitan" scale modified the process of evolution; the selection for the IMA of the project by Jean Nouvel and the debate engendered by the competition for the Parc de la Villette (with Rem Koolhaas and Bernard Tschumi as "finalists"...) signified the metropolitan vision of the city —a vision very distinct from others— that informed public policies in France.*

Naturally enough, the first competitions that Christian Hauvette won came in the wake of this powerful wave, their criteria typical of the 80s: a reasserted political ambition and far-reaching programmes, located from this point on in the new towns or the peripheral districts.

These projects bear witness to a thought in development, in their combination of a "theoretical underdetermination" and a constructive rationale in search of itself. The architect apprears to be more sure of himself in what he rejects than in what he affirms, and the commission is used as a test laboratory. We can study him in terms of various axes: the relationship with the city, first of all, the composition, the construction, the materials.

Faculty of law in Brest. Regional auditing office in Rennes. *This relationship with the city that we have identified*

satélite va a caracterizar en adelante a Francia y que los mejores arquitectos se pronunciarán allí. ¿Harán o no referencia a la ciudad? ¿Se circunscribirán a sus dominios o serán ilimitadas? En el marco de este debate y al hilo de su pensamiento, Christian Hauvette optó por las "afueras" con nuevas aglomeraciones, tratándolas de modo casi literal, de suerte que *el estado de exterioridad se convierta en estado de oposición*. La facultad de Brest configura una porción de corona que da la espalda a la ciudad y, abriéndose al paisaje, la Cámara de Cuentas de Rennes se encuentra a la entrada de una "zona de actividades" periférica, como si de un navío a la deriva se tratara. Esta actitud desemboca en formas muy contundentes —curva y paralelepípedo— que no actúan ni como signos ni como equipamiento pionero; se implantan en solitario rechazando, desde aquel momento, cualquier estrategia para urbanizar esas áreas.

Su composición no remite a las maneras clásicas ni neomodernas. En Rennes, donde el programa incluía una ordenación incipiente,[7] las diferencias funcionales —oficinas, archivo, sala de consejo, etc.—, están dispuestas a lo largo de una espina central. La distribución en corona que domina la obra de Brest no genera volumetría interna que se acomode a tal geometría: los despachos, las aulas, los anfiteatros tienen formas cuadrangulares y se alinean contra las paredes que delimitan la forma principal, el espacio interior que, alterado por las aristas, afianza la distribución. Parece como si la jerarquización de espacios, y en particular la "espacialización", la labor con los huecos, se hubiesen eclipsado del proyecto, sustituyéndose por una descomposición analítica del programa en funciones donde las necesidades dictan sus verdades al proyecto. En consecuencia, la Cámara Regional de Cuentas funciona, en la lógica de su esquema circulatorio (sótanos-archivo-oficinas), a modo de centro de tratamiento de archivos y no como una *institución* pública solemne e importante.

A estas disposiciones generales de ruptura responden soluciones constructivas igualmente heterodoxas. En Brest, la tridimensionalidad parece estar ausente por voluntad propia: el proyecto se lee en planta, el volumen construido no alcanza más que la altura correspondiente a la planta baja y a dos plantas piso y los muros —paramentos de hormigón o retículas— semejan láminas de cartón colocadas para que coincidan con las trazas de la planta. Las fachadas no operan como envolturas ajustadas sino como pantallas que, por un lado

as significant is perhaps borne out in the projects for Brest and Rennes: both buildings are situated on the "outskirts", lacking both urban fabric and party walls. Nevertheless, we can see now that this kind of urban growth was to characterize France from this moment on, and the best architects have made statements within it: to make reference to the city or not; to be bounded by the existing fabric or limitless in extension, etc... these were the questions. In the context of this debate and in terms of his own line of thought, Christian Hauvette chose to accept the "outskirts" of the new towns, treating them almost literally, the state of exteriority becoming the state of opposition. The Law faculty in Brest constitutes a portion of the outer ring that turns its back on the city and opens up to the landscape; the auditing office in Rennes is implanted at the entrance to a peripheral "activity zone", like a drifting ship. An attitude that gives rise to extremely forthright forms —curve and cuboid— that do not act either as signs or as a pioneering presence; they set themselves up in isolation, rejecting from the outset any strategy of urbanizing these areas.

In the same way, their composition makes no reference to either classical or neomodern modes. In Rennes, where the programme included the first steps towards an ordering of the zone,[7] the different functions —offices, archives, board room, etc.— are laid out along the length of a central spine. In Brest, the ring layout does not generate an internal volumetry that submits to this geometry; the offices, classrooms and lecture theatres have quadrangular forms, and are aligned along the walls that delimit the principal form, the interior space which, altered by the arrises, assures the distribution. It is as if the hierarchical ordering of spaces, and in particular the "spatialization", the work with the voids, had been effaced from the project. An analytical de-composition of the programme of functions takes its place, with the needs imposing their truth on the project: accordingly, the Regional auditing office in Rennes functions as a centre for the treatment of archives, as evidenced by the logic of the circulation scheme (basements-archives-offices), rather than as a solemnly important public institution.

These radically rupturist dispositions are reflected in equally heterodox construction solutions. Thus, in Brest, three-dimensionality seems to be deliberately absent: the project can be read in plan, the built volume rises no higher than ground + 2 floors, and the walls —concrete partitions or

protegen y por el otro están abiertas, pantallas, a la postre, de papel, pues este juego que niega el espacio concluye en la negación —sofisticada— de la materia: los pesados paneles de hormigón vertido en obra de la fachada reciben un pulido superficial que elimina el grano y cualquier sensación de grosor, pero unas marcas rehundidas sugieren un simple "anclaje". En Rennes, donde un programa más difícil dictó un proyecto más complicado, la opción constructiva no negó la tridimensionalidad de manera tan rotunda. Sin embargo, el hecho de recurrir al acero y al vidrio en el gran acristalamiento orientado a mediodía, autoriza a buscar referencias constructivas en otros lugares. Una inspiración bastante dotada condujo un "navío" —cuadernas y proas— hasta la explanada de una fortaleza... En la fachada septentrional, el hormigón

screens— are like sheets of cardboard set up on the lines of the plan; the facades do not serve as fitted envelopes but as screens, protective on one side, open on the other... Paper screens, then, given that this game of negating space concludes with a —sophisticated— negation of the material: on the facade, the heavy panels of in situ *concrete are buffed smooth to eliminate the grain and any idea of thickness, while a series of impressed marks suggest a simple "anchoring". In Rennes, where the more demanding programme called for a more complex project, the construction approach does not negate the three-dimensionality so unequivocally. Nevertheless, the recourse to steel and glass on the great glazed south face permits the pursuit of constructive references elsewhere; an effectively composite inspiration*

en forma de tenues entrepaños "pasa" por delante de las cuadernas del navío.

Nos atrevemos a decir que estos proyectos, construidos en franca oposición, reflejan, al inicio de una trayectoria, una paradoja de la que el arquitecto tardará en liberarse: la paradoja que lleva, con la finalidad de rechazar el *pathos* arquitectónico y sus procedimientos, a "impulsar" su método analítico y constructivo hacia un radicalismo susceptible de convertirse en formalista. Le costará tiempo cambiar de una voluntad de sistema, aun siendo ésta sincera, a un pensamiento "mecanicista" auténtico. La época (la tremenda confusión ideológica posmoderna) desencadenó en Francia reacciones radicales que la lección de Prouvé aún no estaba en disposición de acarrear, lo cual no impidió a estos edificios conocer un destino crítico determinado: Christian Hauvette, ante amplios programas, propuso un planteamiento racionalista que pudiese *dominarlos;* su lógica constructiva se abría a un tratamiento innovador de los materiales que, por ejemplo, liberaba al hormigón de sus plásticas neomodernas. Cuando la joven arquitectura francesa descubrió, sin excesivo entusiasmo, otros horizontes, la relación de Hauvette con las nuevas áreas "no urbanas" ya estaba diáfanamente establecida.

Escuela primaria Arthur Rimbaud en Montigny. Instituto Louis Lumière en Noisy. El estudio de los proyectos para Montigny y Noisy tuvo lugar en 1987 y 1986, nada más concluir los dos precedentes. De uno a otro binomio se entablan algunas correspondencias: el programa clásico y la baja densidad de Montigny, un proyecto más importante e institucional en Noisy; otra diferencia notable más: no se encuentran en las franjas de una ciudad de provincias, sino en el gran *discontinuum urbano* que rodea París en una anchura de 50 km.

Profundización y recentralización: ambos proyectos se inscriben en la trayectoria iniciada.

Desde Brest al centro de enseñanza de Montigny, el juego que provoca el encuentro entre una geometría regular con unas necesidades contingentes se sofistica con la introducción de un sistema de tramas y redes. Mediante el análisis Christian Hauvette aísla varias racionalidades: construcción, distribución, funciones; y trata a cada una con un sistema diferente: esqueleto de pilares/jácenas en la estructura ("hojas"), muros ondulados en las distribuciones y servicios ("cartones"), paneles opacos ("pasadores") en el cerramiento de aulas. La apuesta del proyecto no consiste en modo algu-

thus creates a "ship", with ribs and prows, on an embankment of the fortress... On the north facade, the concrete —here again in slender panels— "passes" in front of the ribs of the vessel.

We might go so far as to say that these two clearly opposing projects manifest, in this first phase of the architect's trajectory, a paradox from which Hauvette took some time to liberate himself; a paradox which led him, in his rejection of architectural pathos and its procedures, to "push" his method of analysis and construction towards a potentially formalist radicalism. He was to take some time to move on from a concern with system, sincere as this was, to a genuine "mechanicist" thought. But the time (the great postmodern confusion of ideas) provoked radical reactions in France, and the lessons learned Prouvé could no longer be carried forward. However, this did not prevent the buildings from enjoying a certain critical acclaim. Faced with broad-ranging programmes, Christian Hauvette proposed a rationalist approach capable of dominating them; his construction logic opened up a new engagement with the materials, liberating the concrete, for example, from neomodern plasticities. In short, his relationship with these new "non-urban" areas was already established and clear when the younger French architecture was discovering, without much enthusiasm, their flowing expanses.

Arthur Rimbaud primary school in Montigny. Louis Lumière state college in Noisy. The projects for Montigny and Noisy were drawn up in 1987 and 1986, on completion of the two previous commissions. From one binomial to another, the two projects present various points of correspondence: a classic programme and a low density in Montigny, a more important and institutional project in Noisy; there is one notable difference here, however: both are situated, not on the fringe of a provincial town, but in the great urban discontinuum that encircles Paris in a 50 km radius.

Deepening, recentring: the two projects are inscribed within the approach already initiated.

From Brest to Montigny, the play provoked by the encounter between a regular geometry and the contingent needs derives sophistication from the introduction of a system of frames and grids. Christian Hauvette applied his analysis to the isolation of a series of rationales —construction, distribution spaces, functions— treating each in terms of a different system: a skeleton of pillars and beams for the structure

no en determinar una a una estas racionalidades, sino en yuxtaponer sus dispositivos y administrar lo que de aleatorio haya en sus relaciones.

Digamos ante todo que ni el espacio generado ni la arquitectura de la escuela nos convencen, pareciéndonos, en cambio, un giro hacia el formalismo antes mencionado. Pero, entre tanto, tiene aquí lugar una evolución interesante: el desarrollo autocentralizado del proyecto —el análisis funcional recibe un impulso extraordinario— y la pasividad frente al mundo exterior, más efectiva que la anterior hostilidad. Las fachadas-orla de la escuela se inscriben por *su ubicación* en el paisaje sin mostrar cualidades de ciudad nueva. Inmerso en una metrópolis enorme, vemos un equipamiento pequeño manejado, sin heroísmo inútil, a la escala precisa...

En cuanto a sus aplicaciones arquitectónicas —autosuficiencia— y urbanas —reacción al urbanismo "ZAC"[8]—, el Instituto Louis Lumière continúa la temática del navío ya puesta de relieve en Rennes. El programa —gran centro de enseñanza profesional consagrado a las actividades audiovisuales— era relativamente complejo, precisaba de salas con luz y salas oscuras, laboratorios, proyecciones y circulaciones. El proyecto se desarrolla a partir de una decisión inicial: restablecer el patio y el deambulatorio en el centro del edificio, como si el exterior no tuviera bastante categoría para "civilizarlo" haciendo del mismo un espacio público. Así, un atrio alto y largo configura la franja central en torno a la que el proyecto se despliega y se cierra. De una parte a otra del atrio, el arquitecto alinea varias franjas que acogen, como es habitual, funciones distintas: laboratorios y salas oscuras en la franja interna y aulas y circulación en la externa. Es un hábil juego geométrico —las dos alas son exactamente homotéticas— que delinea la forma, mientras el desplazamiento entre éstos permite alargar la obra disimulando su grosor, y crea un "estrave" que hace referencia al mundo naval. En esta ocasión se trata de un barco acorazado, pues el juego de materiales implanta una cierta materialidad: la estructura resistente del atrio es de hormigón negro y las sobrequillas de los dos volúmenes principales están construidas a base de franjas longitudinales en alternancia de colores blanco y negro en los antepechos y ventanas corridas, respectivamente.

Contemporáneos entre sí, este par de proyectos emite mensajes distintos: existe riesgo de problemas en la introducción de la retícula en la escuela de Montigny al aplicarse un método muy definido a un programa que no posee masa críti-

("leaves"); corrugated walls for the distribution and service spaces ("cartons"); opaque panels ("slides") for the skin of the classrooms. The project's engagement does not by any means consist in setting any one of these rationales above the others, but in juxtaposing their mechanisms and orchestrating the aleatory quality of their relations.

We might say, however, that the space thus produced, the architecture of the school, is less than convincing, appearing as it does to mark a return to the formalism we remarked above. But there is, nevertheless, an interesting evolution in progress here: a self-centred development of the project —the analysis of the functions is pushed to new heights— and a passivity with regard to the world outside that is more positive than the former hostility. The passe-partout facades of the school are inscribed in their place *in the neutral landscape of a new suburb: immersed in an immense metropolis, we have here a small building treated, without futile heroics, at the perfect scale...*

The Louis Lumière state college pursues the theme of the ship already explored in Rennes in its architectural application —its self-sufficiency— and its urban application —a reaction against the "ZAC"[8] school of urbanism. The programme —a large vocational training college for the audiovisual professions— was relatively complex, calling for rooms with abundant daylight and dark rooms, laboratories, projection rooms and circulation schemes. The project is developed on the basis of a first decision: to resituate the courtyard and the cloister at the centre of the building, as if the exterior was incapable of being "civilized" as a public space. A long, high atrium thus forms a central strip, around which the project unfolds and closes in. On either side of this atrium the architect aligns other strips which accommodate, as in his earlier work, clearly distinct functions: laboratories and dark rooms in the inner strip, classrooms and circulation routes in the outer strip. An intelligent use of geometry —the two wings are perfectly matched— delineates the form, while a slipping forward of the two wings serves to elongate the building while dissimulating its thickness and creating a curving "stem", as a figure taken from ship design. A battleship, in this case, given that the use of the materials here introduces a certain massive quality: the load-bearing structure of the atrium is of black concrete, and the "cabins" of the two principal volumes are composed of longitudinal bands, with black and white alternating on the ledges and the strip windows.

ca suficiente para presentarle una "reacción". La mayor envergadura del Instituto Louis Lumière ofrece más resistencia a la sistemática del proyecto, mientras que la geometría, un tanto gratuita en Montigny, pasa aquí a ser instrumento de dominio (gran preocupación de Christian Hauvette). Dominio del proyecto en su funcionamiento que, en busca de la eficacia (como si los flujos de circulación fuesen carburante que deba economizarse), es necesario descomponer primero y armar después. Dominio de la economía constructiva que ha de traducir exactamente el esquema. Dominio del volumen, cuya envoltura tiene que limitar los intercambios con el exterior a fin de que nada perturbe el movimiento interno. Si los de Rennes o Noisy, no son, de momento, proyectos-máquina, se fundamentan en la búsqueda de la eficacia —nula dispersión de órganos y control de intercambios con el exterior— que pueda generar una estética. Y cuando se critica al espacio exterior de crecer sin provocar un interés, la arquitectura encuentra una causa adicional más para imponer su autonomía que para componer al unísono.

Segunda generación
Objetos de fuerte coherencia interna 1:
El hecho metropolitano

La construcción del Instituto Lafayette de Clermont-Ferrand (1988-1991) marcará, a nuestro entender, una etapa decisiva en el reconocimiento de la obra de Christian Hauvette, es decir, en el modo de reconocer su aportación al debate. El programa que se presentó a concurso en esta antigua capital del centro de Francia llevaba al extremo la contradicción, habitual y difícil, de levantar edificios civilizados en áreas que no lo eran. Conocedores de la resuelta actitud que ya había adoptado el arquitecto, creemos que lo que distingue al proyecto de Clermont-Ferrand es la ruptura de escala en las dimensiones del programa y de la obra, lo cual modificó los dictados y llevó al arquitecto a desvelar la verdadera problemática. En el cara a cara de Clermont-Ferrand se oponían un equipamiento y un área que, por su envergadura, por su rudeza, tenían más de *metropolitanos* que de urbanos.

En lo que respecta a la violencia de semejante situación —proyectar un mastodonte en una página en blanco—, el teórico del objeto aislado tuvo que "afilar sus herramientas" para convertirse en maestro y recurrir, para circunscribir el programa, no sólo a la geometría, sino a una forma pura, la

Contemporary with one another, the two projects deliver two quite different messages: there is a risk of deadlock in the imposition of the grid in the Montigny school, where an overdetermined method is applied to a programme that does not possess sufficient critical mass to "respond" to it. The greater extension of the Louis Lumière college is more resistant to the systematic design approach, and the geometry, somewhat gratuitous in Montigny, becomes here the instrument of mastery (a key concern for Christian Hauvette). Mastery of the project in its functionality, which has to be deconstructed before being reassembled, in the pursuit of efficiency (as if the circulation flow were a precious fuel requiring maximum economy). Mastery of the construction economy, which should be an exact translation of the scheme. Mastery of the volume, in which the envelope is to limit the exchanges with the exterior so that nothing perturbs the internal movement. While Rennes and Noisy are not yet project-machines, they are based on a search for efficacy —no dispersion of organs, control of exchanges with the exterior— capable of creating an aesthetic. And when the exterior space is judged to be expansion without interest, the architecture finds an additional motive for imposing its autonomy, rather than for seeking to compose in conjunction with it.

Second generation
Objects with strong internal coherence 1:
The metropolitan fact

The construction of the Lafayette training college in Clermont-Ferrand (1988-1991) was to mark what can be regarded as a decisive phase in the critical recognition of Christian Hauvette's work; in other words, with respect to the recognition of his contribution to the debate. The programme for the competition for this historic capital in the centre of France carried the habitual and difficult contradiction to the extreme: to construct civilized buildings in areas that are not in themselves civilized. We are familiar with the resolute position which the architect had already adopted as his own; what seems to distinguish the project for Clermont-Ferrand, then, is the break in scale between the dimensions of the programme and those of the site, which changed the qualities and led the architect to uncover the real problematic. The confrontation in Clermont-Ferrand opposed the built facility and the area, whose dimensions and hardness were not so much urban as metropolitan.

elipse; recurrir a la monumentalidad del anfiteatro, en mayor grado que al mero aislamiento, para asentar el proyecto y pautar los intercambios; recurrir, en suma, a un esquema centrípeto para llevar hasta el final la búsqueda de la concentración del objeto. Estas reglas compositivas definieron una tipología inédita: el objeto metropolitano.

El instituto de Clermont-Ferrand se nos puede manifestar como una metamorfosis preliminar de tal tipología, de un producto resultado de dispositivos que se purificaron para aumentar su eficacia, sobresaliendo, entre éstos, la descomposición del programa que, aquí, aísla las funciones —pedagogía, administración, circulaciones— y diferencia, después, en el proyecto un cuerpo activo —formado por elementos que deben trabajar juntos para que la energía fluya—, unas entidades "satélites" que sostienen relaciones más secundarias donde se necesite autonomía; los talleres, en este caso, se tratan en el marco de una forma auxiliar...

No obstante, las "franjas" funcionales que resultan del análisis se vuelven esta vez a cerrar en coronas concéntricas fragmentadas en unidades de programa, mientras que la elipse facilita la libertad justa para que los espacios interiores puedan someterse a su geometría sin pérdida de eficacia. Del mismo modo, la oposición protección/intercambio determina aquí una fachada externa compacta y una interna que, tras el muro acristalado, se resuelve en forma de pasarelas. La envergadura de la elipse fuerza al arquitecto a abandonar la imagen de pantalla o de navío para tratar la envoltura sin la ayuda de una metáfora: la estructura resistente de hormigón no se disfraza, sino que configura una circunferencia de pórticos monumentales que abarcan los tres primeros niveles. En el centro, un patio de traza regular (Christian Hauvette nunca "cede" espacio público al exterior) y el bloque auxiliar longitudinal que alberga los talleres completan un proyecto que busca en sí mismo los argumentos de su coherencia. La actitud no es nueva, pero creemos que es aquí donde encuentra una auténtica justificación en el tratamiento de un conjunto cuya magnitud no puede respetar o generar un espacio urbano, aspecto con el que queremos cerrar el comentario sobre la obra de Clermont-Ferrand.

Hoy, cuando el instituto cuenta con cinco años de vida, su creador recuerda que la "zona" donde se construyó, entonces casi vacía, ahora se ha parcelado tan deprisa que el anfiteatro está rodeado por un mantel de edificaciones, de siembras a intervalos, sin densidad, sin cualidades singula-

Faced with the violence implicit in this situation —the projecting of a mastodon onto a blank page— the theoretician of the isolated object had to "sharpen his tools" in order to establish his mastery: thus, in his concern with taking a hold of the programme, Hauvette resorts here not only to geometry but to a pure form —the ellipse— and resorts to the monumentality of an arena rather than to mere isolation in order to assert the project and regulate its exchanges; resorting, in the end, to a centripetal scheme in order to carry through the project's pursuit of concentration. These compositional rules effectively define a wholly original type: the metropolitan object.

We might consider the college in Clermont-Ferrand as the first avatar of this typology, produced by mechanisms that have been purified in order to increase their effectiveness. And foremost amongst these is the de-composition of the programme, which here isolates the functions —teaching, circulation, offices— and goes on to distinguish the active core of the project —constituted of the elements that have to work together in order to mak the energy circulate— from the "satellite" bodies, maintaining the more secondary relationships or those requiring some autonomy, in this case the workshops, laid out within an annex form...

But the functional "strips" which result from the analysis are on this occasion closed in concentric rings, segmented in programmatic units, while the ellipse bestows the freedom necessary for the interior spaces to submit to its geometry without sacrificing their efficiency. In the same way, the opposition between protection and exchange here governs a compact exterior facade and an interior facade treated as a series of gangways behind a glass wall. The scale of the ellipse obliges the architect to abandon the images of screen or ship and engage with the envelope without the recourse to metaphor: the load-bearing structure of concrete is not dissembled, but forms a circle of monumental porticos, embracing the first three levels. A regular courtyard in the centre (Christian Hauvette never "gives" public space to the exterior) and an adjoining linear block of workshops complete a project that looks only to itself for the arguments of its coherence. The approach is not new, but I think that this is where it finds its authentic justification; this treatment of a complex in which size can no longer respect or generate an urban space marks the point at which I would like to conclude with Clermont-Ferrand.

res... Ahora bien, él constata que el anfiteatro todavía se mantiene, que incluso se ha ido fortaleciendo a medida que los alrededores se saturaban y que actualmente estructura la totalidad de la "zona"... Aquí radica la estratagema que mencionamos al principio del texto: el trabajo previo del arquitecto sobre "objetos aislados de fuerte coherencia interna", que en los años 70 hubiese parecido la hipótesis de un teórico, encuentra una justificación histórica a través de la "metropolización" del territorio y de uno de sus corolarios: la aparición de la gran dimensión en los equipamientos públicos, comerciales e industriales. En un país cuyo debate arquitectónico no acepta nunca este hecho como dato (a pesar del relativo eco que tienen las obras de Rem Koolhaas), el Instituto Lafayette demuestra la existencia de otras reglas estéticas con las que tratar estas entidades, reglas que no salen de un manual de referencias, sino que, mediante el análisis y el razonamiento, han de extraerse de la realidad a configurar, reglas que concurren con más eficacia que cuanto trabajo de deconstrucción o de *pastiche* se lleve a cabo para civilizar las áreas metropolitanas.

Segunda generación
Objetos de fuerte coherencia interna 2:
El ideal *Mecaniste*

Y si es nuestro parecer que el Instituto Lafayette demuestra la madurez de una idea respecto al proyecto y a la ciudad contemporánea, el rectorado de la Academia de las Antillas prueba, por su parte, la madurez del "pensamiento maquinista" de Christian Hauvette que el proyecto lleva prendida de un mejor funcionamiento gracias a valerse de una energía que no puede encontrarse más que en el propio pensamiento. El concurso para el rectorado de Fort-de-France, en Martinica, que Hauvette ganó en 1989, colocó a los participantes frente a difíciles problemas climáticos e incluso telúricos, pues esta isla no es únicamente tropical —calor, lluvias torrenciales, alisios, ciclones...—, sino que está expuesta también a movimientos sísmicos. Nos atrevemos a decir que tales limitaciones hicieron la felicidad del arquitecto dando (¿por una vez?) garantías fundadas al anhelo de abordar el proyecto como gestión de una energía mediante dispositivos que hicieron al arquitecto también *inventor*.

En efecto, en Fort-de-France esta energía no nace de la interpretación que del programa hace el autor, sino que existe

Now that the college is five years old, its architect recalls that the "zone" in which it was constructed was at that time almost empty, and has since been marked out for development, so rapidly that the arena is today situated in the midst of a blanket of construction, erratically laid out, without density, without particular qualities... At the same time he notes that "the 'arena' still holds up, has indeed been strengthened in the measure that the surrounding area has been saturated, and today structures the whole zone"... We have here the historical stratagem that we evoked at the beginning of this text; the architect's earlier work on the "isolated object with strong internal coherence", that might have seemed in the 70s to be the hypothesis of a theoretician, has found a historical justification with the metropolization of the territory and one of the corollaries of this: the appearance of the large scale in public, commercial and industrial buildings. In a country in which the architectural debate does not always accept this latter fact as a datum (even if the work of Rem Koolhaas finds a certain echo here), the Lafayette college proves that there are other rules and another aesthetic for the treatment of entities of this kind; those that come not from some reference manual but have instead to be extracted by means of an exercise of analysis and reasoning from the reality that is to be configured, and those that converge in a far more effective fashion than any process of deconstruction or pastiche *in the civilization of the metropolitan areas.*

Second generation
Objects with strong internal coherence 2:
The Mecaniste *ideal*

And if the Lafayette college appears to bear witness to the maturity of a way of thinking the project for the contemporary city, the rectorate of the Academy of the Antilles manifests in its turn the maturity of Christian Hauvette's "mechanicist thought", an engagement with the project in terms of optimum functionality, in exploiting an energy that could only be found in the project itself. Dating from 1989, Hauvette's winning scheme for the competition for the rectorate in Fort-de-France, on Martinique, presented the entrants with difficult problems, not only climatic but telluric: the island is not only tropical —heat, torrential rains, trade winds, cyclones...— but is also subject to earth tremors. We might go so far as to say that these very considerable constraints worked here to the

Vista del patio y la fachada interior del Instituto
de Enseñanza Técnica. Clermont-Ferrand

*View of the courtyard and interior facade of the
Technical Training College, Clermont-Ferrand*

en el propio terreno en estado puro: viento, calor, recursos auténticos que hay que localizar, que deben domesticarse y, en definitiva, que han de producir arquitectura; punto de arranque de la especifidad de Christian Hauvette. El estudio empieza por la habitual descomposición analítica, según la cual el arquitecto aísla el cuerpo del proyecto (oficinas, circulaciones, servicios) y convierte en satélites las entidades anexas (restaurante y salas para exámenes). El cuerpo del proyecto recibe en seguida un tratamiento conforme al modo ya ensayado, dando lugar a tres "franjas" funcionales —oficinas, calle interior, otra vez oficinas—, de las cuales la sur adopta la traza de segmento circular para "contener" la figura del conjunto. En cuanto al plano de emplazamiento, el dispositivo se inscribe en la línea de los proyectos precedentes, hasta el extremo de asumir la morfología —paramentos de hormigón y acristalamiento— de los institutos Louis Lumière y Lafayette.

El viento y las amenazas telúricas llevaron al proyecto aún más lejos, hacia una experimentación que el mismo Christian Hauvette describe (la distinción en cursiva de ciertos pasajes es nuestra):

Principios constructivos del edificio: Conviene recordar que la isla está expuesta al riesgo de movimientos sísmicos. El principio constructivo que evita la destrucción de un edificio durante un seísmo es el *fraccionamiento en entidades rígidas y autónomas* que no superen una longitud de veinte metros. Estos bloques rígidos no deben ser opacos a fin de que permitan el paso de los alisios, de suerte que en este proyecto se han excluido los muros por comportarse como pantallas fijas contra el viento, sustituyéndose por un sistema mixto de pórticos longitudinales de hormigón armado que se arriostra transversalmente con cruces metálicas de San Andrés. La estructura no se cruza, pues mientras la malla de hormigón se teje en tramos paralelos de este a oeste, las cruces metálicas se levantan en líneas perpendiculares de norte a sur.

Los elementos móviles de relleno (celosías y persianas), los elementos fijos o móviles de tabiquería interior (tabiques macizos y tabiques y puertas de librillo), los elementos fijos de protección (paralluvias y parasoles) y las cubiertas *encajan con exactitud* en los rebajes que posee este fino esqueleto.

La modulación sistemática ha permitido el empernado en obra, como si fuese un meccano, de los elementos de acabado, prefabricados fuera del país.

Principios estéticos del edificio: Cupo la posibilidad de que la concepción arquitectónica se atuviese únicamente a

architect's benefit, affording (for once?) a genuine security to his desire to approach the project as the administering of an energy on the basis of the mechanisms of which the artist is inventor.

The fact is that in Fort-de-France this energy was not extracted from the programme by any interpretation of the architect's, but was found there, already extant on the site, in its raw state: the wind, the heat, authentic springs to be circumscribed, to be domesticated and ultimately —and this is where the specificity of Christian Hauvette really commences— to bring about the production of the architecture. The study starts with the customary analytical de-composition: the architect isolates the body of the project (offices, circulation, services) and the annex entities (restaurant and examination halls), which he makes into satellites. The body of the project is immediately given the tried and tested treatment: three functional "strips" —offices, internal street, more offices— with the southern strip being bent into an arc of a circle in order to "contain" the figure in its entirety. In terms of built mass, the mechanism inscribes itself in the line established by the earlier projects, effectively taking on the forms —skins of concrete and glass— of the Louis Lumière college or the Lafayette college.

However, the wind and the risk of earthquake have carried this project still further, towards an experimentation that is no doubt best described by Christian Hauvette himself (the italics are mine):

Construction principles of the building: *It is essential to bear in mind that the island is exposed to the risk of earth tremors. The construction principle involved in enabling a building to withstand an earthquake is that of division into autonomous rigid entities with a length of not more than twenty metres. At the same time, these rigid blocks should not be opaque, in that they have to allow the passage of the trade winds; those fixed wind screens constituted by walls have been excluded from this project. Their place has been taken here by a mixed system of longitudinal porticos in reinforced concrete, braced transversely by steel St Andrew's crosses. This systematic structure is not interlinked. The concrete fabric is laid out in parallel east-west lines, while the steel crosses are set perpendicular, north-south.*

The movable elements of the skin (blinds and shutters), the fixed or movable elements of internal division (solid walls and slatted partitions and doors), the fixed protective elements (screens to keep out the tropical rain and sun) and the roofs all

inquietudes de dos órdenes: por un lado, la configuración estética de una serie de lógicas climáticas, funcionales y constructivas y por otro, al entrecruzamiento de las mismas.

Nuestra obra aporta tanto sobre el desarrollo estético de varias lógicas como sobre su ensamblaje en una geometría impecable; en su conjunto, no tienen más ambición que constituir una máquina arquitectónica bien engrasada.[9]

Entre Brest o Rennes y Fort-de-France, y en lo que respecta a la búsqueda "mecanista" de Christian Hauvette, la diferencia existente no afecta más que a la maduración de una metodología, si bien cuida también de las poderosas limitaciones físicas que pesaron, o mejor dicho, dieron paso a una actuación que acaso adoleciera de cierta subjetividad. Así como la situación urbana ultramoderna estimuló (¿liberó?) el proyecto de Clermont-Ferrand (el objeto aislado como búsqueda de una tipología arquitectónica destinada a la discontinuidad metropolitana), aquí la realidad ineludible del viento —Eolo— acredita la actuación, uniéndola a los mitos primigenios de la arquitectura —proteger al hombre de los elementos— y autoriza que el arquitecto declare que también la actuación "mecanista" es, al fin y al cabo, una estética.

Conclusión provisional

Tal es, a nuestros ojos, el estado actual de las intenciones que Christian Hauvette abriga respecto a la arquitectura. Al cabo de veinte años, el arquitecto ha consolidado sus ideas según una evolución que hemos rastreado al comentar las obras que consideramos los mejores jalones. La "selección" realizada en este recorrido ha permitido clarificar un itinerario como constructor mucho más errático que como teórico, no en vano el constructor debe integrarse con el encargo, que no siempre le brinda el apoyo oportuno para actuar y para avanzar en la afirmación de sí mismo.

De tal manera, estimamos que Christian Hauvette tuvo su oportunidad en los programas de Clermont-Ferrand y de Fort-de-France. El primero le proporcionó la coacción histórica para desvelar/justificar la doctrina personal acerca del gran objeto aislado como factor civilizador de la metrópoli y el segundo le dio la coacción arcaica, ausente hasta entonces en su obra, para que su "mecanismo" no se redujera a una metodología y restableciera las grandes razones de la arquitectura.

Consideramos que estas dos obras, aun siendo relativamente recientes, todavía no han ocupado su sitio en el labo-

fit precisely into place *in the indentations of this fine skeleton.*

The systematic modularity of the scheme made it possible for the various industrially produced finishing elements to be bolted into place on site, like pieces of Meccano.

Aesthetic principles of the building. *We can affirm that the architectural conception of the building is grounded in only two types of concern: the bestowing of aesthetic form on a series of climatic, functional and constructive logics, on the one hand, and the intersecting of these, on the other.*

Our work will have contributed as much to the aesthetic development of these several logics as to their assembly within an implacable geometry; together they have no other ambition than to compose a well-oiled architectural machine.[9]

Between Brest or Rennes and Fort-de-France, the difference with regard to these "mechanicist" researches of Christian Hauvette's derives entirely from the maturing of a method, although they are influenced too by the powerful physical constraints that weigh on, or more precisely lend their weight to an approach that otherwise might perhaps suffer from a certain subjectivity. In the same way that an ultra-modern urban situation impelled (liberated?) the project for Clermont-Ferrand (the single object as research of an architectural type for the metropolitan discontinuum), here it is the inescapable reality of the wind —"Aeolus"— that validates the approach connects it with the founding myths of architecture —the providing of shelter from the elements— and allows the architect to affirm that the "mechanicist" approach is also, ultimately, an aesthetic.

Provisional conclusion

Such is, I believe, the current state of Christian Hauvette's intentions for architecture. Twenty years on, the architect has given shape and form to his ideas, in line with an evolution that we have traced out in commenting on those buildings that seem most clearly to signal the course pursued. This "selection" from Hauvette's work has served us in clarifying an itinerary as a constructing architect that is considerably more erratic than that as a theoretician; because the constructor is obliged to work on the basis of the brief, which does not always afford the ideal opportunity both to produce and to progress in the affirmation of one's own individuality.

It seems to me, then, that Christian Hauvette encountered his opportune occasion with the two commissions for

ratorio de su autor, en calidad de fuente de energía remanente. El arquitecto les debe el tránsito desde el radicalismo de intención —siempre bajo una cierta sospecha de gratuidad— al sosiego de una arquitectura verdaderamente radical "que viene de la raíz, del principio de un ser, de una cosa" [10] en cuanto se refiere a la resolución de las hipótesis que plantea.

Así pues, ahora que aborda el ciclo de la madurez, ¿qué coacciones cabe desearle a Christian Hauvette para que la obra siga progresando? Acaso, en un conocido efecto pendular, que se enfrente en lo sucesivo a situaciones o a programas menos radicales... Estamos ante un arquitecto a quien el encuentro con la necesidad ha fortalecido un pensamiento que, convertido en dueño de sí mismo, ha de ser capaz en adelante de formularse, de configurarse en las condiciones más extremas, ya que se enriquecerá con una realidad menos determinante y a la inversa. Si Christian Hauvette necesitó la tabla rasa de Clermond-Ferrand o los alisios de Fort-de-France para clarificar sus posiciones, éstas han de ser aptas para invertir situaciones menos heroicas. A Francia le urgen soluciones ante la propagación de un hecho metropolitano que, en la mayoría de los casos no es motivo de reflexión, queda sin civilizar, falto de doctrinas que sepan solventar la dificultad que implica la ausencia total de lo urbano, de una mediación entre el objeto y la metrópolis. Las torres de pequeño tamaño de Rennes, que se ofrecen en este libro, esbozan un futuro probable del contexto de Christian Hauvette, de dominio sobre lo no urbano, si pasa de la escala "heroica" a la escala "genérica" de la arquitectura metropolitana.

Clermont-Ferrand and Fort-de-France: the first gave him the historical constraint that allowed him to unfold/justify his doctrine of the large single object as factor of civilization of the metropolis; the second gave him the archaic constraint his work had previously lacked to enable his mechanicism to be more than a mere method and to re-engage with the great themes of architecture.

The relatively recent date of these two works seems to suggest that they have not ceased to occupy a space in the architect's laboratory, as an ongoing source of energy... The architect must have moved on from a radicalism of intention, always somewhat suspect in being gratuitous, to an architecture that is genuinely radical "that searches for a root, for the principle of a being, of a thing" [10] in its resolution of the hypotheses its puts forward.

This being the case, then, what future constraints are to be hoped for in Christian Hauvette's work, as this enters its mature phase, in order that it may continue to progress still further? Perhaps, in a familiar pendulum effect, that of going on to address situations or programmes that may be less radical... We are in the presence here of an architect whose thinking has been strengthened by the engagement with necessity; a thinking which, having mastered itself, should from now on be able to articulate itself, to configure itself, in less extreme situations, simultaneously enriching and enriched by a less uncompromising reality. If Christian Hauvette needed the tabula rasa of Clermont-Ferrand and the tropical winds of Fort-de-France in order to clarify his positions, then these have had to be able to adapt to less heroic situations. The pressing need in France is precisely in that, in the propagation of a metropolitan fact that remains largely unconsidered, un-civilized, lacking in doctrines capable of managing the difficulty posed by the definitive absence of the urban, of any mediation between the object and the metropolis. The little tower blocks in Rennes published in this book sketch out what may be to come in Christian Hauvette's work, that mastery precisely of the non-urban, if he moves on from the "heroic" scale to the "generic" scale of metropolitan architecture.

[1] Aunque sus trayectorias sean tan diferentes como la de Christian Hauvette, de arquitectos franceses tales como Antoine Grumbach e incluso Christian de Portzamparc.

[2] Recordemos que Jean Prouvé brindó durante los años 60 en Francia una enseñanza muy alejada de las Beaux-Arts, ambiente en el que apenas tenía derecho de ciudadanía. Seguido por un puñado de arquitectos —el Conservatoire des Arts et Métiers es en realidad un centro de formación permanente que concede títulos de ingeniería— este curso, convertido en algo un tanto mítico, pudo reconstruirse y publicarse gracias a los apuntes de los estudiantes.

[3] Christian Hauvette, *"Denis Pondruel, sculpteur français"*, catálogo de la exposición en la Galería Riedel, febrero, 1985.

[4] Valéry Giscard d'Estaing.

[5] "Urbanos" o "metropolitanos", la línea de separación es hoy más delgada. El debate que actualmente se produce en Francia sobre la "tercera ciudad" demuestra que un arquitecto como Christian de Portzamparc ha asimilado perfectamente la dimensión metropolitana del problema y que intenta concebir dispositivos de remodelación que den salidas.

[6] "Doctrines, certitudes" en *Cahiers de la recherche architecturale,* n° 6-7, octubre, 1980.

[7] Las Chambres Régionales des Comptes, creadas en Francia en 1982 a raíz de las leyes de descentralización, son órganos de control que examinan la gestión de las colectividades locales. Dan marco a una actividad terciaria —examen preliminar de archivos contables de las colectividades— y a una actividad pública —juicio de magistrados reunidos en asamblea plenaria en una sala concreta—.

[8] El término "ZAC" *(Zone d'Aménagement Concerté)* califica en Francia un procedimiento de urbanización responsable en gran medida del nuevo y lamentable paisaje urbano del país. La delimitación de estas "zonas" permite adoptar en las mismas normas urbanísticas distintas de las que administran los tejidos urbanos consolidados. Esta innovación hubiera sido interesante si hubiese instaurado las leyes de un nuevo urbanismo metropolitano. No obstante, las ambiciones doctrinales no alcanzan tanta altura. Fruto de un compromiso bastardo entre las exigencias de rentabilidad financiera de los inversores y las exigencias de comodidad de los constructores, sus autores no derrocharon ingenio —cosa que no era fácil— y bucearon en las normas de seguridad contra incendios hasta encontrar conceptos de implantación que no eran capaces de imponer.

9 Christian Hauvette y Jérôme Nouel, arquitectos, en *"La bôite à vent-Rectorat de l'Académie des Antilles et de la Guyane",* Sens & Tonka, editores.

[10] En *Le Robert Dictionnaire historique de la langue française,* 1992.

[1] Compare here, although their careers are very different from Christian Hauvette's, French architects such as Antoine Grumbach and even Christian de Portzamparc.

[2] We should bear in mind that during the 60s Jean Prouvé provided a teaching in France that was far removed from the Beaux-Arts *realm fro* which he was a virtual outcast. Followed by a handful of architects, this now slightly mythical course at the Conservatoire des Arts et Métiers —which is in fact a centre for ongoing professional training awarding engineering degrees— has since been reconstructed and published on the basis of the notes taken by his students.

[3] Christian Hauvette, "Denis Pondruel, sculpteur français", *catalogue for the sculptor's exhibition in the Galerie Riedel, February 1985.*

[4] Valéry Giscard d'Estaing.

[5] "Urban" or "metropolitan", the line separating the two has since become even narrower. The debate on the "third city" currently taking place in France effectively demonstrates that an architect such as Christian de Portzamparc has perfectly assimilated the metropolitan dimension of the problem and is seeking to imagine appropriate mechanisms for the laying out of the space.

[6] *"Doctrines, certitudes",* Cahiers de la recherche architecturale, *no. 6-7, October 1980.*

[7] The "Chambres Régionales de Comptes", set up in France in 1982 in the wake of decentralization legislation, are the supervisory bodies responsible for monitoring the management of the devolved administration. These carry out a tertiary service activity —the preliminary examination of the accounts of the local administration— and a public activity —magistrates' hearings, held in plenary session in a specific chamber—.

[8] The term "ZAC" (Zone d'Aménagement Concerté) is used in France to refer to the process of urbanization largely responsible for the country's calamitous new urban landscapes. The delimitation of these "zones" allows the adoption of planning and development regulations different from those that apply to the established urban fabric. This innovation might have been interesting if it had established the laws for a new metropolitan urbanism; however, the doctrinal ambitions have not aspired to those heights. The product of a misbegotten compromise between the investors' demands for financial profitability and the convenience of the major construction companies, the work clearly evidences the architects' strict economy of concept —which can not have been easy to achieve— and their exploitation of the fire-safety regulations as the basis for a rationale of siting of the building that they proved ultimately incapable of imposing.

[9] Christian Hauvette and Jérôme Nouel, architects, "La boîte à vent-Rectorat de l'Académie des Antilles et de la Guyane", *Sens & Tonka.*

[10] Le Robert Dictionnaire historique de la langue française, *1992.*

1984-1987

Facultad de Derecho y Ciencias Económicas, Brest

Faculty of Law and Economic Science, Brest

Bunker sistemático

Systematic bunker

Su disposición se inscribe en dos arcos de circunferencia de distinto radio. En el norte, el arco mayor guía un alzado liso, a la vez protección climática y fachada a la ciudad, que alberga los elementos extrovertidos del programa: vestíbulo, salas de documentación y espacios para conferencias. En el sur, el arco más cerrado presenta una fachada cóncava que limita los espacios de enseñanza e investigación. Entre ambos, una especie de calle interior de doble altura e iluminada cenitalmente, ofrece un amplio espacio de salida.

El edificio combina cinco tipos de tratamiento; en la fachada norte, hormigón gris vertido en obra; en la fachada sur, estructura prefabricada de jácenas y pilares de hormigón blanco, paneles de hormigón lavados al ácido; y en las circulaciones verticales, muros revestidos con gres cerámico blanco.

The form of the building is inscribed within two arcs of different radius. To the north, the larger arc traces out a smooth elevation, at once climatic protection and the facade towards the city, accommodating the more public elements of the programme: entrance vestibule, reference rooms and conference halls. To the south, the lesser arc presents a concave facade which bounds the teaching and research areas. Between the two, a double-height, top-lit interior street provides a spacious circulation area.

The building systematically combines five different types of treatment; on the north facade, grey in situ concrete; on the south facade, a prefabricated structure of columns and beams of white concrete, acid-washed concrete panels; slender walls faced with white ceramic tiles.

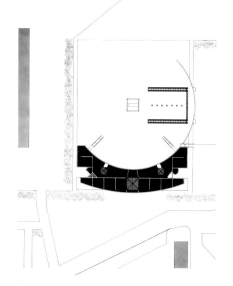

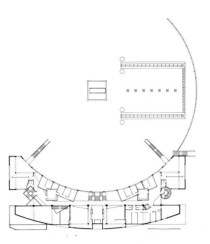

Emplazamiento, planta, alzado y vista de la fachada con el acceso principal

Site plan, plan, elevation and view of the facade with the main access

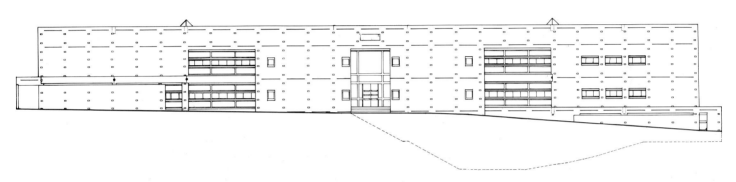

Dos vistas del exterior y el interior del anfiteatro

*Two views of the exterior and the interior of the
amphitheatre*

1985-1988

Cámara Regional de Cuentas de Bretaña, Rennes

Regional Auditing Office, Rennes

Palacio romántico

Romantic palace

No hay nada que sea menos sencillo que expresar el Estado, y particularmente cuando se trata del hueso más duro de roer: el Ministerio de Hacienda. Esta cámara, implantada en un contexto periférico, se mezcla discretamente con los vestigios del bosque bretón.

La composición vertical y horizontal del edificio se funde, detrás de una cortina de robles, con el paisaje rural.

El basamento inerte alberga 1.350 m² destinados a archivo, repartidos en los dos niveles inferiores de una gran nave semienterrada. Encima, tras el impulso de las columnas, se desarrollan tres plantas de oficinas entrelazadas por jardines interiores y por pasos de circulación vertical dispuestos regularmente. El volumen de traza curva que contiene los elementos atípicos del programa, como por ejemplo la sala de sesiones, completa estos dos componentes arquitectónicos.

There is nothing less straightforward than giving expression to the State, and particularly when it comes to the hardest of its functions: the Treasury. Sited in a peripheral setting, the regional auditing office for Brittany displays great discretion in blending in with the remains of the Breton forest.

The vertical and horizontal composition of the building, laid out behind a screen of oak trees, effectively merges with the rural landscape.

The static base houses 1,350 m² of archives, laid out on the two lower levels of a great semi-sunken hall. Above this, following the impulse of the columns, are three floors of offices interspersed with interior gardens and the regularly spaced nuclei of vertical circulation. These two architectonic componentts are completed by the curving volume which contains the atypical elements of the programme, notably the sessions chamber.

Emplazamiento y diversas vistas de la fachada sur

Site plan and various views of the south facade

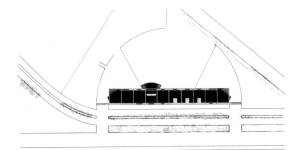

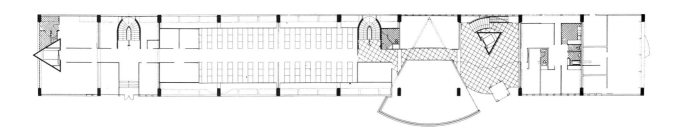

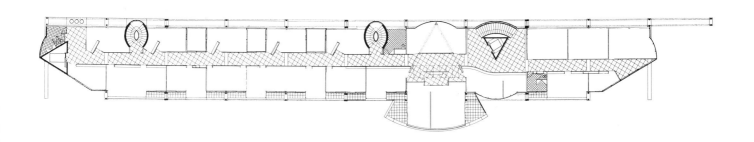

Plantas y diversas vistas de la fachada norte

Plans and various view of the north facade

Escuela Nacional Louis Lumière, Noisy le Grand

Louis Lumière State College, Noisy le Grand

Crucero Lumière

Lumière cruiser

Este edificio se construyó a lo largo de una línea férrea, en un terreno de forma romboidal y en el contexto de una "ville nouvelle".

El programa responde al de una escuela de fotografía y cine que incluye aulas, estudios y laboratorios. Se desarrolla en dos volúmenes alargados y paralelos que flanquean un "paso" cubierto. Al igual que un crucero atracado en el muelle, el proyecto se arrima a una calle elevada y paralela al ferrocarril mediante pesados muros de hormigón que sostienen, con ayuda de un voladizo, los dos volúmenes longitudinales reservados a la fotografía y a la cinematografía.

Los muros de hormigón dan protección a los estudios y laboratorios. La película que se despliega en torno al edificio es la fachada de las aulas. La coronación es una verdadera planta de instalaciones desde la que se distribuyen los fluidos indispensables para el funcionamiento de este proyecto.

This building was constructed parallel to the railway line, on a rhomboidal site within the boundaries of a new town.

The brief called for a school of photography and cinema, including classrooms, studios and darkrooms. This programme is laid out in two elongated parallel volumes which flank a covered "passage". Like a cruiser at the quayside, the project is linked up to a raised street running parallel to the railway line by means of the heavy concrete walls which support, with the aid of a cantilever, the two longitudinal volumes which acommodate the photography and cinema departments.

The concrete walls protect the studios and the darkrooms. The facade of the classrooms is the film which unrolls around the building. The crown of the building is an authentic technical floor, distributing the fluids indispensable to the functioning of this project.

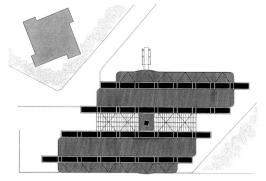

Emplazamiento y diversas vistas de la fachada norte

Site plan and various views of the north facade

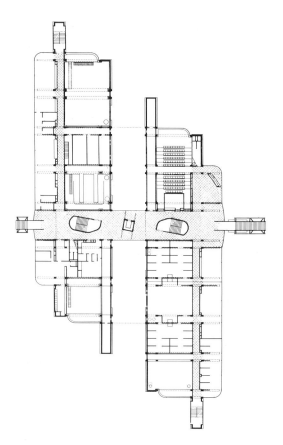

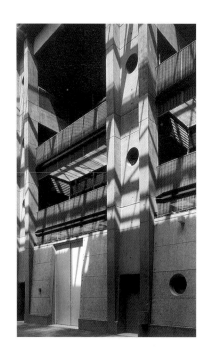

Planta, diversas vistas y detalles de las fachadas
y de la calle interior

*Plan and various views and details of the facades
and the interior street*

Diversas vistas del exterior e interior del edificio

Various views of the exterior and interior of the building

1986-1989

Guardería infantil de 80 cunas, París

El baúl de bebés

La guardería se asienta como una "caja fuerte" en la calle del barrio, pero también como un espacio abierto hacia el interior de la manzana.

La fachada de la guardería subraya la continuidad del paisaje urbano de la calle Saint-Maur tanto por el diseño de las "costuras" laterales como por su forma convexa, que recoge el desplazamiento de los edificios medianeros adyacentes. La base responde a la costra de vehículos que cubre la ciudad. El velo de hormigón visto de la fachada es la máscara que protege los escenarios en los que juguetea la chiquillería.

Las aulas se abren al patio por medio de amplios vanos deslizantes y de balcones corridos con barandillas acristaladas inclinadas, que proporcionan a los niños los primeros indicios arquitectónicos.

Crèche for 80 children, Paris

Safe for babies

The nursery school is sited in the neighbourhood like a "strong-box" on the street and as an open space towards the interior of the block.

The facade of the crèche underlines the continuity of the urban landscape of rue Saint-Maur, as much through the design of the lateral "seams" as through its convex form, which absorbs the displacement of the two adjacent middle-height buildings. The base responds to the ubiquitous streams of cars that invade the city. The facing of exposed concrete is the mask which protects the open levels on which the children play.

Inside, these open floors give onto the courtyard by way of wide sliding screens and continuous balconies whose inclined planes of glazing provide the children with their first insight into architecture.

Emplazamiento y dos vistas de la fachada principal

Site plan and two views of the main facade

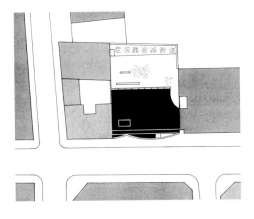

Página siguiente: dos vistas opuestas desde la calle de la fachada principal

Following pages: two opposing views of the main facade from the street

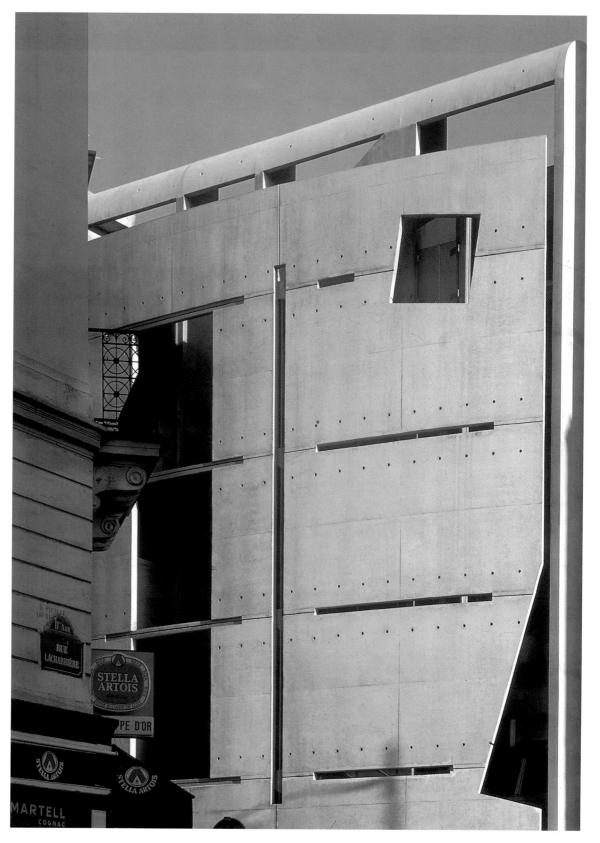

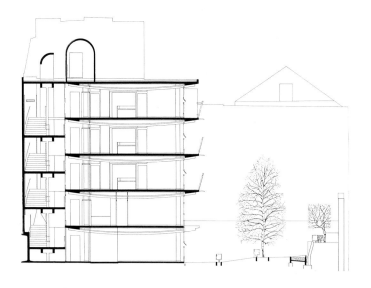

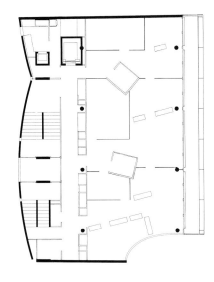

Planta, sección transversal, vista de la fachada posterior y diversos aspectos del interior

Plan, transverse section, view of the rear facade and various views of the interior

1987-1988

Escuela primaria y parvulario, Montigny le Bretonneux

Los cuatro elementos

Esta edificación está dividida en dos subconjuntos idénticos —la escuela primaria y el parvulario— que responden a una composición completamente homóloga respecto a un punto central coincidente con el acceso. Las dos escuelas, dos cuadrados compactos que presentan una disposición invertida, se abren a los dos cuadrados vacíos que actúan de patios. Una envoltura de hormigón y de gres cerámico rojo acoge todo el conjunto. La estructura de jácenas y pilares, la "parrilla", es de hormigón visto. Los muros sinusoidales divisorios, los "velos", son de hormigón con estrías muy finas barnizado de color verde. Y finalmente, los armarios y espacios para instalaciones se agrandan para formar "cajas" que separan las clases de los talleres. El desplazamiento de las tramas presta dinamismo al cuadrado que descansa en una base estática. Esta obra es tan sencilla como un juego infantil y tan inteligente como un rompecabezas chino.

Primary school and nursery school, Montigny le Bretonneux

The four elements

This construction is divided into two identical sub-groups —the primary school and the nursery school— which respond to a completely identical composition with respect to the central point of the access. The two schools, two compact squares which manifest an introverted disposition, open up onto two open squares that serve as playgrounds. A facing of concrete and red ceramic tiles envelops the whole complex. The structure of beams and pillars, the "grille", is of exposed concrete. The sinusoidal dividing walls, the "veils", are of concrete scored and varnished in green. Finally, the and service ducts and units are enlarged to form "boxes" which separate the classrooms from the workshops. The basic static square is endowed with dynamism by the displacement of the grids. The scheme is as simple as a children's game and as complicated as a Chinese puzzle.

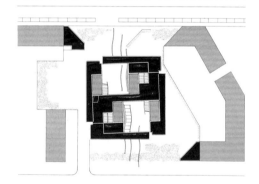

Emplazamiento, vista exterior y de la entrada
principal

*Site plan and views of the exterior and the main
entrance*

Planta baja y diversas vistas exteriores y del interior del edificio

Ground floor plan and various views of the exterior and the interior of the building

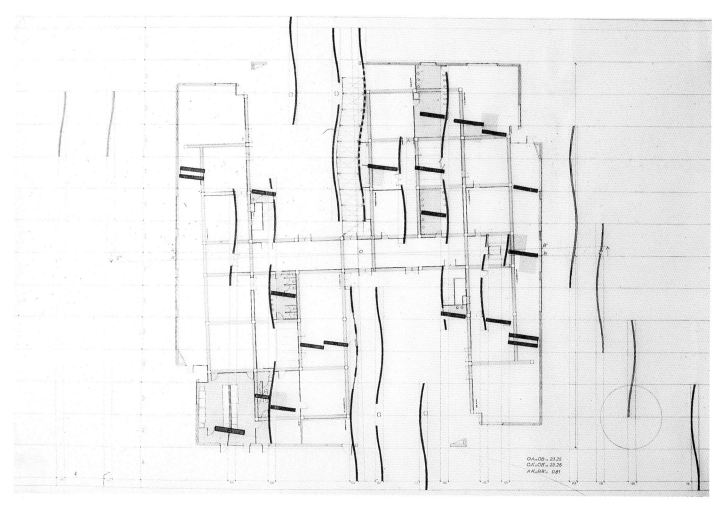

OA=OB= 23.25
OA'=OB'= 23.26
AA'=BB'= 0.81

1988-1991

Instituto de Enseñanza Técnica, Clermont-Ferrand

Technical Training College, Clermont-Ferrand

En asociación con Atelier 4, arquitectos
Instituto principesco

In association with Atelier 4, architects
School for the prince

Este centro se encuentra en plena periferia, entre zonas comerciales desordenadas y coloristas. Este edificio negro se pensó para dominar semejante entorno a través de su "fuerza" autónoma, legible y unitaria.

La elipse acoge en el anillo las aulas de teoría y en el centro el patio, o lo que es lo mismo, el elemento sustancial de toda la vida comunitaria. La elipse es signo de permanencia y enraizamiento, circunstancia que enfatiza el tratamiento formal de hormigón pulido de la fachada externa. La epidermis metálica y acristalada de la fachada interna, resuelta en facetas, juega con la dinámica y la ligereza.

El gran volumen longitudinal de acero y aluminio, es decir, el "ala", alberga las superficies libres y amplias de los talleres. Los bloques contienen elementos extraescolares, tales como el alojamiento y el restaurante.

The school is situated right on the outskirts, between brash and disorderly commercial zones. This black building was designed to dominate its surroundings on the basis of its autonomous, easily read and unitary "strength".

The ring of the ellipse embraces the theory classrooms, with the courtyard in the centre, as the vital element of all the communal activities. The ellipse is a symbol of permanence and rootedness, and this is underlined by the formal treatment of the exterior facade, in exposed concrete. The glass and metal skin of the interior facade, with its multiplicity of facets, invokes a sense of dynamism and lightness.

The great longitudinal volume in steel and aluminium, the "wing", houses the spacious workshop areas. The other blocks contain various non-teaching functions such as dormitories and restaurant.

Emplazamiento, vista aérea y fragmento de la fachada

Site plan, aerial view and partial view of the facade

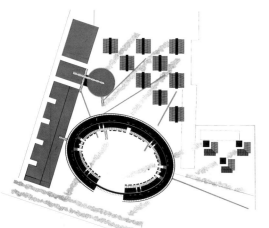

Dos vistas de las dos fachadas —interior y fachada norte, exterior— del instituto

Two views of the two facades —interior and north facade, exterior— of the training college

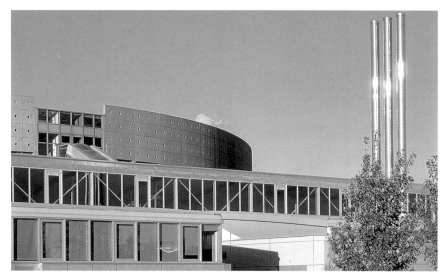

Diversas vistas del exterior del edificio

Various views of the exterior of the building

Páginas siguientes: la calle interior, una clase con vistas al patio y otra en el último piso

Following pages: the interior street, a classroom with views of the courtyard and another classroom on the top floor

1990-1994

Rectorado de la Academia de las Antillas y de la Guayana, Martinica

En asociación con Jérôme Nouel, arquitecto
Caja al viento

Este edificio, calificable de climáticamente experimental, tiene su principal particularidad en que se concibió para prescindir del acondicionamiento ambiental eléctrico, práctica usual en el clima de Martinica. La arquitectura ha merecido especial atención para adaptarse a las exigencias que imponen las condiciones de trabajo en un clima tropical húmedo. La idea fue domesticar los alisios para que atravesaran suavemente el edificio, llevando a las oficinas una leve brisa refrescante. En este proyecto se excluyeron los muros, por comportarse como pantallas fijas contra el viento, sustituyéndose por un sistema mixto de pórticos longitudinales de hormigón armado que se arriostra transversalmente con cruces metálicas de San Andrés. Los elementos móviles de relleno (celosías y persianas), los elementos fijos o móviles de tabiquería interior (tabiques macizos y tabiques y puertas de librillo) y los elementos fijos de protección (paralluvias y parasoles) encajan todos con exactitud en los rebajes que posee este fino esqueleto.

Rectorate of the Academy of the Antilles and Guiana, Martinique

In association with Jérôme Nouel, architect
The wind box

The principal innovation of this building, which might be described as climatically experimental, is the fact that it was designed to function without electrical air-conditioning systems, although the use of these systems is normal in a climate such as that of Martinique. The architecture has been special conceived to adapt to the demands of the way of working characteristic of a humid tropical climate. The idea was to guide or train the wind so that this would gently pass through the building, providing the sequence of offices with a refreshing breeze. In this project, conventional walls have been excluded, because these act in effect as fixed screens blocking the wind, their place being taken by a mixed system of longitudinal portal frames in reinforced concrete with transverse steel braces in the form of the St Andrew's cross. The movable elements of the skin (blinds and shutters), the fixed or movable interior partitioning elements (solid walls and slatted partitions and doors) and the fixed protective elements (screens to keep out the tropical rain and sun) and the roofs all fit precisely into place in the indentations of this fine skeleton.

Emplazamiento, vista aérea y diversos fragmentos del edificio

Site plan, aerial view and various partial views of the building

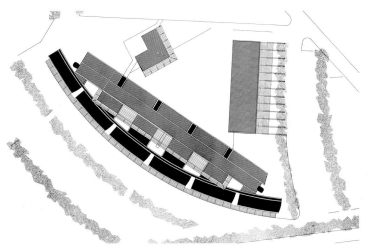

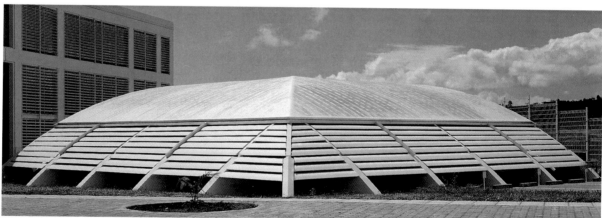

Vista general y de la fachada sur de día y de
noche

*General view and day and night views of the
south facade*

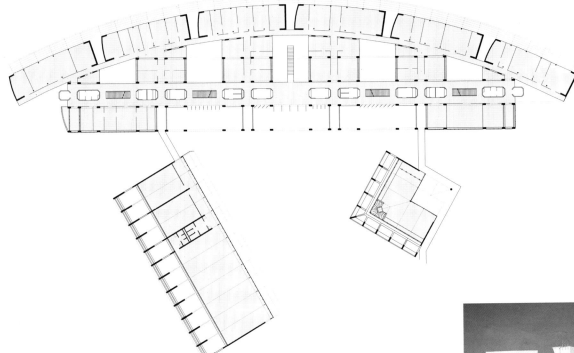

Planta, dos fragmentos del edificio y vista del pórtico de entrada

Plan, two partial views of the building and view of the entrance portico

Diversos detalles del edificio y de los porticones en aluminio

Various details of the building and of the aluminium gantries

Páginas siguientes: diversos aspectos y detalles de los cerramientos y protecciones solares

Following pages: various aspects and details of the skin and the solar protection

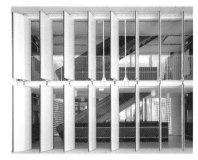

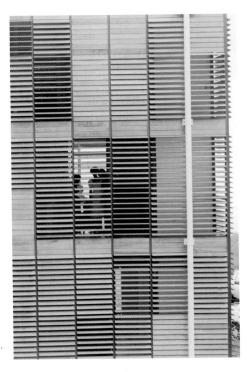

Edificio de 204 viviendas para funcionarios de policía, París

Velocidad limitada

Este edificio de viviendas linda con la periferia de París, considerada por el Plan Parcial como un *boulevard* cualquiera. Por tanto, se levanta a lo largo de una "correa" de trazado curvo que domina la vista.

La disposición arquitectónica articula dos volúmenes y dos programas distintos: viviendas unifamiliares abajo y viviendas para solteros arriba.

En el sur, en consideración a las viviendas unifamiliares, el espectáculo del tráfico contrasta con el silencio que reconquista la fachada "acústica", densa, de hormigón liso, tras la que se encuentran los grandes vanos acristalados de las cocinas y salas de estar. Entre los dos acristalamientos media un espacio de sesenta centímetros de separación donde se acomoda una persiana y el acondicionamiento ambiental.

Los estudios situados en las plantas superiores cuentan con galerías abiertas pintadas en azul. Separando estos programas una "plataforma" libre (una terraza en el horizonte parisino) articula el hormigón brillante y la autopista azul.

204 apartments for police personnel, Paris

Limited speed

This apartment building stands on the outskirts of Paris, classified by the city's planning regulations as an avenue like any other. The building therefore takes up a curved layout along a "belt" which orders the views.

The architectonic layout articulates two different volumes and programmes: family housing below and single-person apartments above.

To the south, overlooked by the family housing, the spectacle of the traffic contrasts with the silence, restored thanks to the "acoustic" facade. Dense and massive, of smooth-polished concrete, this opens up at the rear in the long glazed bays of the kitchens and the living rooms. The blinds and the air-conditioning are contained in the 60 cm spaces between the two layers of glazing.

The studio apartments on the upper levels are provided with open galleries, painted in blue. An open "deck" looking out over the Paris horizon separates the two programmes, articulating the shining concrete and the blue expressway.

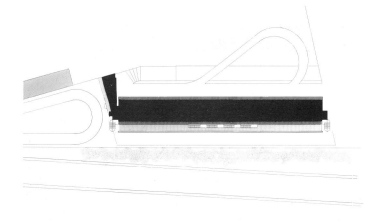

Emplazamiento, fotomontaje y dos vistas del exterior desde el "boulevard périphérique"

Site plan, photomontage and two views of the exterior from the "boulevard périphérique"

Diversas vistas del exterior

Various views of the exterior

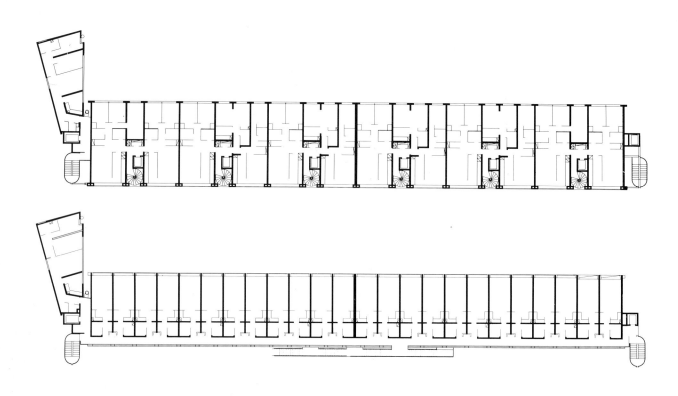

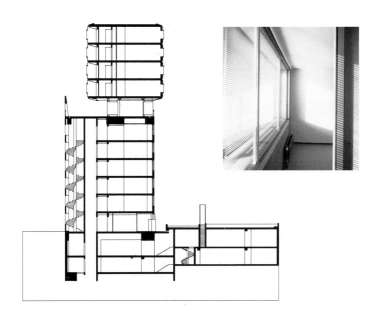

Plantas, sección transversal y diversas vistas
del exterior y de los recorridos peatonales

*Plans, transverse section, and various views of
the exterior and of the pedestrian routes*

1992-1996

40 viviendas de alquiler, Rennes

En asociación con B.N.R., arquitectos, en Rennes
Módulos urbanos

La razón de este par de "módulos" tan bien adaptados a las maneras de la vida moderna obedece a la prioridad ineludible que se da a las redes de circulación.

Dos pequeñas torres de hormigón visto, erectas, rodeadas de aluminio, acogen, cada una, veinte viviendas. La planta baja se reserva a vehículos y a tablas de *windsurf*. Los vestíbulos de acceso están bien indicados por un toldo escarlata.

Ningún balcón en la fachada. Únicamente, grandes ventanas con persianas deslizantes de aluminio calado que filtran la luz natural y artificial.

40 rental apartments, Rennes

In association with B.N.R. architects, Rennes
Módulos urbanos

The effective priority accorded to the circulation networks on the outskirts of the cities provides the rationale for these two "modules", perfectly adapted to modern living.

Each of these two small towers of exposed concrete, raised up on aluminium-clad pillars, contains twenty apartments. The space at ground level between the pilotis provides parking for cars and storage for windsurf boards. A scarlet canopy unambiguously indicates the entrance halls.

There are no balconies on the facades. Nothing other than the very large windows with their perforated aluminium blinds that filter the natural and artificial light.

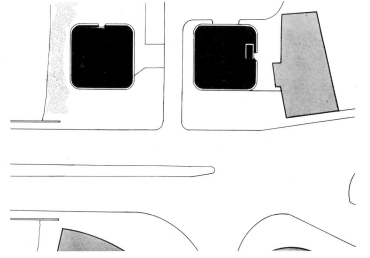

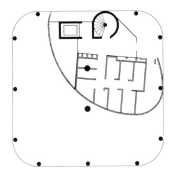
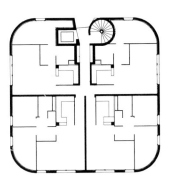

Plantas y diversas vistas y fragmentos del exterior

Plans and various views and partial views of the exterior

166 viviendas particulares, Rennes

166 privately owned apartments, Rennes

En asociación con B.N.R., arquitectos
Key West

*In association with B.N.R., architects
Key West*

En el centro de la ciudad, los muelles del río Vilaine y el café Brigitte son lugares nostálgicos que Rennes se propone conservar. Además, la amplitud del terreno ofrece una ocasión magnífica para construir una auténtica manzana urbana en torno a un gran jardín rectangular.

La *maison Brigitte* ha sido el argumento para culminar el proyecto, se ha multiplicado en las cubiertas en forma de volúmenes revestidos de cobre rojo y rodeados por amplias terrazas.

Las seis primeras plantas se aíslan de la calle gracias a galerías corridas que como protección frente a la lluvia y al sol cuentan con toldos blancos cuyo movimiento está programado por una serie de anemómetros. En el lado correspondiente al jardín, grandes jardineras prefabricadas de hormigón liso forman un relleno cubierto de vegetación.

In the centre of Rennes, the quays of the River Vilaine and the "Brigitte" café constitute the nostalgic features that the city is concerned to preserve. In addition, the breadth of the terrain offers a magnificent opportunity to create an authentic urban block built around a large rectangular garden.

The maison Brigitte *has been taken as the central motif in the carrying out of the project; its roofs have been extended in the form of red copper sheathed volumes, surrounded by generous terraces.*

The first six floors are isolated from the street by elongated galleries, protected from sun and rain by white awnings whose movement is controlled by a series of anemometers. On the side facing the garden, large prefabricated concrete planters form an infill of vegetation.

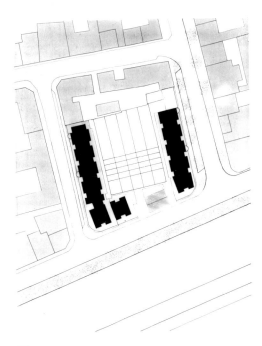

Emplazamiento, perspectiva y vista del conjunto
de las viviendas

*Site plan, perspective and view of the residential
complex*

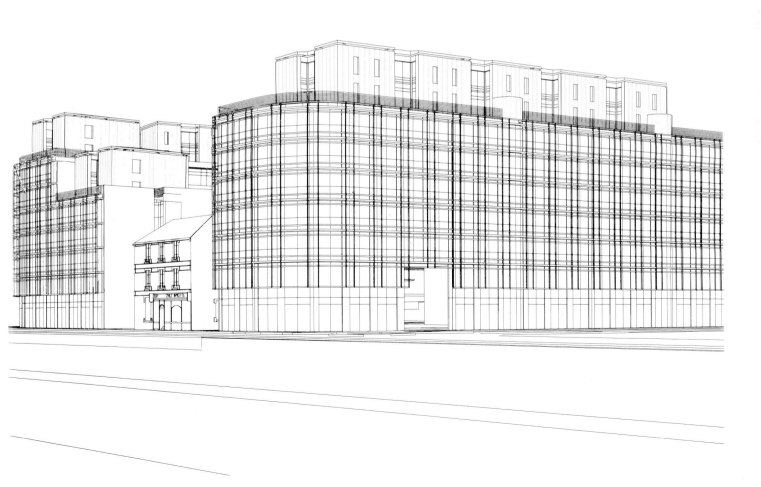

1993-1996

82 viviendas de alquiler, París

Formas impuestas

Este programa destinado a viviendas sociales, se compone de tres volúmenes cúbicos semejantes que forman ángulo en la intersección de dos calles estrechas y encima, superpuestos, muestran otros tres volúmenes también cúbicos. El conjunto define un jardín interior que se percibe desde distintos puntos de vista.

En la actualidad, la normativa urbanística que rige en París impone limitaciones draconianas en lo que a morfología, gálibo y fachadas de los edificios respecta. En este proyecto se subvierte el paradigma habitual que defiende las cubiertas de zinc sobre fachadas de obra y, así, las plantas primera a cuarta exhiben un revestimiento de plancha de aluminio y la fachada de los volúmenes de las plantas quinta y sexta exhibe paneles prefabricados de hormigón visto provistos de piezas de vidrio esmerilado.

82 rental apartments, Paris

Imposed figures

This programme for low-cost publicly-funded housing is composed of three similar cubic volumes which form an angle at the juntion of two narrow streets; superimposed on these, a further three cubic volumes are revealed. The complex marks out an interior garden which can be appreciated from different points of view.

At the present time, the planning regulations in force in Paris imposes draconian limitations on the morphology, height and facades of the buildings. In this project, the habitual solution of placing zinc roofs over facades of brickwork is inverted and, in this way, the first four floors are faced with aluminium sheeting and the volumes of the fifth and sixth floors present a facade of exposed concrete with ground glass inserts.

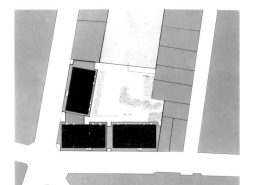

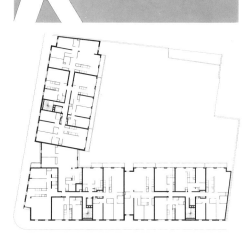

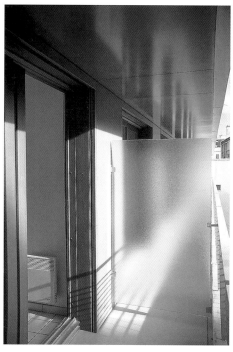

Emplazamiento, planta, perspectiva y diversas vistas del exterior

Site plan, plan, perspective and various views of the exterior

1994-1997

**Escuela de Aguas y Bosques
CEMAGREF-ENGREF,
Clermont-Ferrand**

En asociación con Atelier 4, arquitectos
Naturaleza modificada

Este programa heterogéneo, loca-
lizado en un campus periférico, queda
representado por cuatro volúmenes
diferenciados y yuxtapuestos. El cubo,
la ojiva y la pieza longitudinal acogen,
respectivamente, el centro propiamente
dicho, la administración, el centro de
investigación y la sala de tecnología.
Cada edificio, generosamente
acristalado, cuenta con la protección
de la luz solar que le proporcionan diversos materiales que, a su vez, evocan
la transformación que el ser humano ha
introducido en la naturaleza: rejilla de
cedro rojo, lamas de aluminio y plan-
chas de acero oxidado. La alusión a
una naturaleza modificada se proyecta
también en la elección de los materiales
encargados de las divisiones interiores.

*School of Waters and Forests
CEMAGREF-ENGREF,
Clermont-Ferrand*

In asociates with Atelier 4, architects
Modified nature

*The composite programme, located
on a peripheral campus, is embodied
in four differentiated and juxtaposed
volumes. The cube, the ogive and the
longitudinal volume accommodate,
respectively, the school itself, the administration area, the research centre and
the technology hall.*
*Each building, with abundant glaz-
ing, is protected from the sunlight by a
variety of materials which at the same
time evoke the transformation which
human society has imposed on nature:
grilles of red cedar, slats of oxidized aluminium and sheets of rusted steel. The
reference to a modified nature also
embraces the choice of materials used
in the internal partitions.*

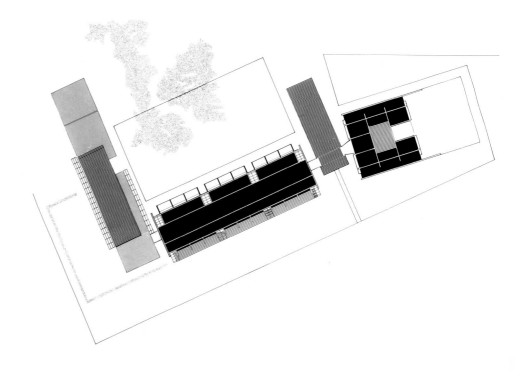

Planta, sección y vista de la maqueta

Plan, section and view of the model

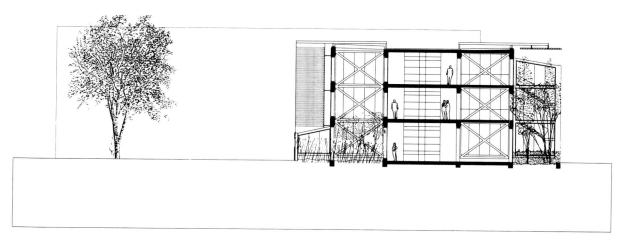

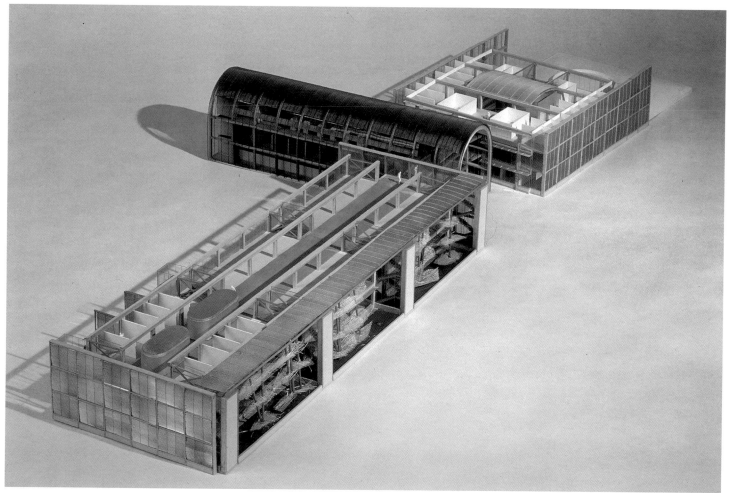

1994-1998

Sede social de la Caisse Française de Développement, París

In asociación con Bical-Courcier-Martinelli, arquitectos
Cajones y paravientos

En pleno centro de París, un terreno de forma triangular se orienta al sur a una extensión elevada recorrida por líneas férreas, y al norte a un paseo peatonal.

El edificio de esta entidad no es tan sólo un edificio de oficinas, sino también un banco estatal con una arquitectura clasicista, mas no ostentosa.

Se levantó un conjunto dividido en cinco elementos dislocados que un gran pórtico estructural enlaza superior e inferiormente. Las fallas que separan los cinco "continentes", ocupadas por pasarelas de comunicación, dejan que la luz juegue con la calle que discurre debajo.

La fachada a mediodía, orientada al ferrocarril, es una sucesión de mamparas tendidas y de aberturas variables.

El proyecto muestra cinco entidades funcionales triangulares cuya disposición limita la disposición enfrentada entre oficinas.

El volumen de los dos primeros niveles ocupa todo el terreno y cuenta con la alimentación de una calle interior de trazado longitudinal y con la iluminación cenital procedente de un acristalamiento de forma triangular.

Headquarters of the Caisse Française de Développement, Paris

In association with Bical-Courcier-Martinelli, architects
Drawers and screens

Right in the centre of Paris, the project is located on a triangular site whose southern border faces onto an elevated railway line, while the northern facade overlooks a pedestrian boulevard.

The headquarters of the Caisse Française de Développement is not merely an office block, but also a state bank that had to manifest a classical, but not ostentatious, architecture.

The complex is divided into five distinct elements which are linked above and below by a large portal frame. The gaps separating the five "continents", occupied by access galleries, enable the light to play on the street which runs beneath.

The south facade, looking onto the railway, is composed of a succession of screens at different heights.

The project deploys five triangular functional volumes whose layout defines the relationships between the different offices.

The volume of the first two levels occupies the entire plot and includes a longitudinal interior street, top-lit by a triangular glazed rooflight.

Emplazamiento y diversas vistas de la maqueta

Site plan and various views of the model

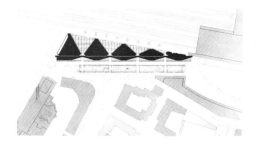

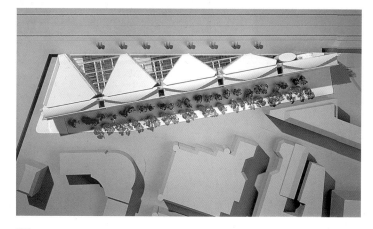

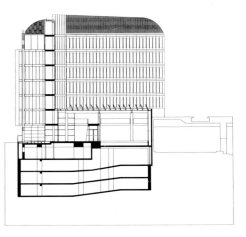

Plantas y diversas vistas de la maqueta

Plans and various views of the model

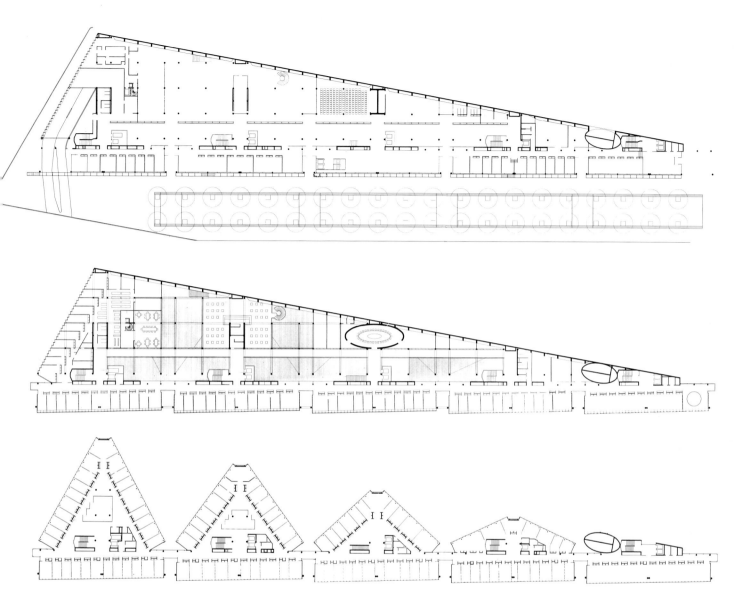

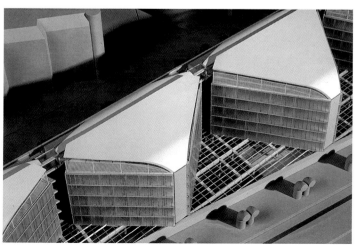

Nace el 30 de noviembre de 1944 en Marsella.

1969 Arquitecto titulado oficial (DPLG), urbanista DIUP.

1972-1974 Estudios de posgraduado en la École Pratique des Hautes Études. Director de la Tesis: Roland Barthes.

1974 Beca del Groupe de Recherche et d'Études Cinématographiques.

1974-1975 Encargado de curso en la Universidad de París VII, UER "Sciences de la Société".

1975 Creación de Hauvette et Jullien Architectes, en asociación con Benoît Jullien.

1980 Creación del Atelier Christian Hauvette.

1986 Primer Premio de Architectures Publiques (Misión interministerial para la calidad de la obra pública).

1986-1995 Arquitecto-consejero en la Misión interministerial para la calidad de la obra pública.

1988 Segundo Premio de Architectures Publiques (Misión interministerial para la calidad de la obra pública). Exposición de Hauvette-Hondelatte-Soler en Burdeos.

Conferencia *Grands Projets* en Nueva York (EEUU).

1989 Caballero de la Ordre des Palmes Académiques. Medalla de Plata (Premio Dejean) de la Académie d'Architecture.

Born 30th November 1944 in Marseille.

1969 Official degree in Architecture (DPLG) and Urban Design (DIUP).

1972-1974 Post-graduate studies in the École Pratique des Hautes Études. Thesis director: Roland Barthes.

1974 Grant from the Groupe de Recherche et d'Études Cinématographiques.

1974-1975 Teacher at the UER "Sciences de la Société" course at the Université de Paris VII.

1975 Formation of Hauvette et Jullien Architectes, in association with Benoît Jullien.

1980 Formation of the Atelier Christian Hauvette.

1986 First prize for Public Architectures (Interdepartmental Mission for the Quality of the Public Constructions).

1986-1995 Advisory Architect with the Interdepartmental Mission for the Quality of the Public Constructions.

1988 Second prize for Public Architectures (Interdepartmental Mission for the Quality of the Public Constructions). Hauvette-Hondelatte-Soler exhibition in Bordeaux.

"Grands Projets" lecture in New York (USA).

1989 Chevalier of the l'Ordre des Palmes Académiques. Silver Medal (Prix Dejean) from the Académie d'Architecture

1990 Segundo Premio de Architectures Publiques (Misión interministerial para la calidad de la obra pública). Conferencia *"Paris meets Chicago"* en el Chicago Arts Center (EEUU). Conferencia en el Virginia Tech, Blacksburg (EEUU).

1991 Gran Premio Nacional de Arquitectura. Exposición de Christian Hauvette en el Institut Français d'Architecture de París. Primer Premio Departamental de Arquitectura de Ille-et-Vilaine. Profesor invitado en la École d'Architecture de Clermont-Ferrand (Puy-de-Dôme).

1992-1993 Miembro del Conseil Scientifique Supérieur de l'Enseignement de l'Architecture.

1993 Caballero de la Ordre National du Mérite. Conferencia en la Universidad de Houston (EEUU) y en Sevilla (España). Profesor visitante en la Universidad de Houston (EEUU).

1994 Profesor titular de las Écoles d'Architecture. Miembro del Comité Directeur du Plan Construction et Architecture.

1995 Galardón *"Palmarès 1995 de l'Architecture"* (Grupo SCIC). Conferencia: Facultad de Arquitectura -Universidad Autónoma de Nuevo León (México) (5.º Simposio Internacional de Arquitectura).

1990 *Second prize for Public Architectures (Interdepartmental Mission for the Quality of the Public Constructions).* "Paris meets Chicago" *lecture in the Chicago Arts Centre (USA). Lecture in the Virginia Tech, Blacksburg (USA).*

1991 *Grand Prix National d'Architecture award (France). Exhibition in the Institut Français d'Architecture, Paris. First prize for Architecture from the Département d'Ille-et-Vilaine. Invited tutor at the Clermont-Ferrand School of Architecture (Puy-de-Dôme).*

1992-1993 *Member of the Conseil Scientifique Supérieur de l'Enseignement de l'Architecture*

1993 *Chevalier of the Ordre National du Mérite. Lecturer at the University of Houston (USA) and in Seville (Spain). Visiting professor in the University of Houston (USA).*

1994 *Full Professor at the Écoles l'Architecture. Member of the Board of Management of the Plan Construction et Architecture.*

1995 *"Palmarès 1995 de l'Architecture" award (Groupe SCIC). Lecture at the Universidad Autónoma de Nuevo León (Mexico) (Fifth International Symposium of Architecture).*

Cronología de obras y proyectos

1980-1983 Casa Cren, en Camaret (Finistère).

1982-1983 Colegio en Emerainville. Emerainville (Seine-et-Marne), Syndicat de l'Agglomération Nouvelle de Marne-la-Vallée. Concurso, proyecto premiado.

1984-1987 Facultad de Derecho y Ciencias Económicas, Brest, Rectorado de la Academia de Rennes. Concurso, proyecto premiado. Superficie útil: 2.700 m². Presupuesto: 14 millones de francos.

1985-1988 Cámara Regional de cuentas de Bretaña, Rennes, Ministère de l'Économie et des Finances. Concurso, proyecto premiado. Superficie: 4.438 m². Presupuesto: 23 millones de francos.

1986-1988 Escuela Nacional Louis Lumière, Noisy-Le-grand, Ministère d'Education Nationale. Concurso, proyecto premiado. Superficie útil: 5.400 m². Presupuesto: 48 millones de francos.

1986-1989 Guardería infantil para 80 cunas, París, 11.°, Direction de l'Architecture de Paris. Superficie: 1.281 m². Presupuesto: 8,9 millones de francos.

1987 "Inventer 89", Celebración del bicentenario de la Revolución Francesa.

1987-1988 Escuela primaria y parvulario, Montigny-le-Bretonneux, Syndicat de l'Agglomération Nouvelle de Saint-Quentin-en-Yvelines. Concurso, proyecto premiado. Superficie: 2.260 m². Presupuesto: 13,6 millones de francos.

1988-1991 Instituto de Enseñanza Tecnológica. En asociación con Atelier 4, arquitectos, Clermont-Ferrand, Région d'Auvergne. Concurso, proyecto premiado. Superficie: 31.630 m². Presupuesto: 150 millones de francos.

1989 Pabellón de Francia en la Exposición Universal de Sevilla, COFRES(Compagnie Française pour l'Exposition de Séville). Concurso, proyecto escogido en la segunda selección.

1989 Pabellón de quemados del Hospital Saint-Antoine, París, 12°, Assistance Publique-Hôpitaux de Paris. Concurso, proyecto premiado, sin continuidad. Superficie: 2.500 m².

1990-1994 Rectorado de la Academia de las Antillas y la Guayana. En asociación con Jérôme Nouel, arquitecto. Fort-de-France, Ministère de l'Education Nationale. Concurso, proyecto premiado. Superficie: 8.250 m². Presupuesto: 73 millones de francos.

1991 Ordenación de Bas-Montreuil, Ville de Montreuil. Concurso de urbanismo, proyecto premiado.

Chronology of works and projects

1980-1983 Cren house in Camaret (Finistère).

1982-1983 School in Emerainville. Emerainville (Seine-et-Marne), Syndicat de l'Agglomération Nouvelle de Marne-la-Vallée. Competition, special mention.

1984-1987 Faculty of Law and Economic Sciences, Brest, Rectorate of the Academy of Rennes. Competition, selected project. Net area: 2,700 m². Estimated cost: 14 million francs.

1985-1988 Regional Auditing Office, Rennes, Ministère de l'Économie et des Finances. Competition, selected project. Area: 4,438 m². Estimated cost: 23 million Francs.

1986-1988 Louis Lumière National School, Noisy-le-Grand, Ministère d'Education Nationale. Competiton, selected project. Net area: 5,400 m². Estimated cost: 48 million francs.

1986-1989 Crèche for 80 children, Paris, 11th Arrondissement, Direction de l'Architecture de Paris. Area: 1,281 m². Cost: 8.9 million francs.

1987 "Inventer 89", Celebration of the Bicentennial of the French Revolution. Ideas competition, selected project.

1987-1988 Primary and Nursery Schools. Montigny-le-Bretonneux, Syndicat de l'Agglomération Nouvelle de Saint-Quentin-en-Yvelines. Competition, selected project. Area: 2,260 m². Cost: 13.6 million francs.

1988-1991 Technical training college. In association with Atelier 4, architects. Clermont-Ferrand, Région d'Auvergne. Competition, selected project. Area: 31,630 m². Cost: 150 million francs.

1989 French Pavilion for the Expo'92 World's fair in Seville. COFRES (Compagnie Française pour l'Exposition de Séville). Competition, project selected for the second round.

1989 Burns unit for the Saint-Antoine Hospital, Paris, 12th Arrondissement, Assistence Publique-Hôpitaux de Paris Competition, selected project, not executed. Area: 2,500 m².

1990-1994 Rectorate of the Academy of the Antilles and Guiana. In association with Jérome Nouel, architect. Fort-de-France, Ministère de l'Education Nationale. Competition, selected project. Area: 8,250 m². Cost: 73 million francs.

1991 Urban Plan for Bas-Montreuil, Ville de Montreuil. Urban design competition, selected project.

1991-1994 Block of 204 apartments for police personnel-

1991-1994 Edificio de 204 viviendas para funcionarios de Policía-Impasse Marteau, París, 18.º Société Nationale Immobilière. Concurso, proyecto premiado. Superficie: 13.300 m². Presupuesto: 73 millones de francos.

1992 Escuela de Minas, Nantes, Établissement Public Administration de l'École Nationale Supérieure des Techniques Industrielles et des Mines de Nantes. Concurso, proyecto escogido en la segunda selección. Superficie: 25.000 m².

1992 Ordenación de la ZAC Etienne Marcel, Montreuil, Ville de Montreuil. Estudio urbanístico. Encargo directo.

1992-1996, 40 viviendas de alquiler. En asociación con B.N.R., arquitectos, Rennes, Aiguillon Construction. Encargo directo. Superficie: 2.888 m².

1992-1996, 156 viviendas particulares. En asociación con B.N.R., arquitectos, Rennes, Giboire Immobilier. Encargo directo. Superficie: 11.267 m². Presupuesto: 39 millones de francos.

1993-1996, 82 viviendas de alquiler, París, Office Publique d'Aménagement et de Construction de Paris. Encargo directo. Superficie: 7.200 m². Presupuesto: 32 millones de francos.

1994 Proyecto urbanístico "Quai du Raynouard", Mantes-la-Jolie, Equipement Ile-de-France. Estudio urbanístico.

1994-1997 CEMAGREF-ENGREF. En asociación con Atelier 4, arquitectos, Clermont-Ferrand. Concurso, proyecto premiado. Superficie: 7.000 m². Presupuesto: 51 millones de francos.

1994-1997, 71 viviendas, Rennes, Arc Promotion II. Encargo directo. Superficie: 4.956 m². Presupuesto: 16 millones de francos.

1994-1998 Sede Social de la Caisse Française de Développement. En asociación con B.M.C., arquitectos. París, Caisse Française de Développement. Concurso, proyecto premiado. Superficie: 27.000 m². Presupuesto: 244 millones de francos.

1995-1997 Escuela Nacional Superior de Ingenieros, Le Mans, Université du Maine. En asociación con Bernard Dufournet, arquitecto. Concurso, proyecto premiado. Superficie: 5.000 m². Presupuesto: 26,5 millones de francos.

Impasse Marteau, Paris, Société National Immobilière. Competition, selected project. Area: 13,300 m². Cost: 73 million francs.

1992 School of Mining, Nantes, Établissement Public Administration de l'École Nationale Supérieur des Techniques Industrielles et des Mines de Nantes. Competition, project selected for the second round. Area: 25,000 m².

1992 Urban Plan for the "ZAC" Etienne Marcel, Montreuil, Ville de Montreuil. Urban design study. Direct commission.

1992-1996, 40 rental apartments. In association with B.N.R., architects. Rennes, Aiguillon Construction. Direct commission. Area: 2,888 m².

1992-1996, 156 privately owned apartments. In association with B.N.R., architects. Rennes, Giboire Immobilier. Direct commission. Area: 11,267 m². Cost: 39 million francs.

1993-1996, 82 rental apartments, Paris. Office Publique d'Aménagement et de Construction de Paris. Commission. Area: 7,200 m². Cost: 32 million francs.

1994 Urban Plan for the "Quai de Raynouard", Mantes-la-Jolie, Equipement Ile-de-France. Urban design study.

1994-1997 CEMAGREF-ENGREF. In association with Atelier 4, architects. Clermont-Ferrand. Competition, selected project. Area: 7,000 m². Cost: 51 million francs.

1994-1997, 71 houses, Rennes, Arc Promotion II. Direct commission. Area: 4,956 m². Cost: 16 million francs.

1994-1998 Headquarters of the Caisse Française de Développement. In association with B.M.C., architects. Paris, Caisse Française de Développement. Competition, selected project. Area: 27,000 m². Cost: 244 million francs.

1995-1997 National School of Engineering, Le Mans, Université du Maine. In association with Bernard Dufournet, architect. Competition, selected project. Area: 5,000 m². Cost: 26.5 million francs.

Bibliografía/*Bibliography*

Libros publicados sobre la obra de Christian Hauvette/
Books published on the work of Christian Hauvette

581 Architects in the World, Toto Shuppan, Editorial Atsushi Sato, Tokyo, 1996

La Boite à Vent, Rectorat de l'Académie des Antilles et de la Guyane, Éditions Sens & Tonka, Paris, 1995

Christian Hauvette, Collection Gros-Plan, Institut Français d'Architecture, Paris, 1994

Arquitectura Francesa, 11 proyectos, Architecture Studio, Hauvette, Nouvel, Perrault, Ediciones Junta de Andalucía, Sevilla, 1993

Christian Hauvette, Grand-Prix National d'Architecture, "Grands-Prix Nationaux", Éditions Ministère de l'Urbanisme, Logement, Transports, Paris, 1991

Suite... sans fin, 21 projects de Christian Hauvette, Éditions Pandora, Paris, 1991

Concours Séville 1992, Édition IFA/Carte Segrete, Paris, 1990

Place de la Révolution, Inventer 1989, Édition Champ Vallon, Paris, 1989

The New French Architecture, Rizzoli International Publishers, New York, 1989

Croiseur Lumière, Éditions du Demi-Cercle, Paris, 1989

Crèche pour 80 Berceaux, *Architecture et Compagnie* n° 1, Éditions du Demi-Cercle, Paris, 1988

La Chambre Régionale des Comptes de Bretagne, Éditions du Demi-Cercle, Paris, 1988

Hauvette, Hondelatte, Soler, Éditions Arc-en-Rêve, Bordeaux, 1987

Maison Cren à Camaret, "La modernité ou l'esprit du temps". Biennale de Paris, catálogo/*catalogue,* Paris, 1982

Artículos publicados por Christian Hauvette/
Published articles by Christian Hauvette

Prefacio para/*Foreword for Francis Soler, architecte,* Collection Gros-Plan, Institut Français d'Architecture, Junio/*June* 1994.

Prefacio para/*Foreword for Mnémo, architecture de mémoire,* Éditions Caisse des Dépots, Enero/*January* 1994

Entrevista con/*Interview with* Christian Hauvette, *Les architectes et la construction,* Éditions Technique et Arquitecture, Enero/*January* 1994

Entrevista con/*Interview with* Christian Hauvette, *Cahiers de la Recherche Architecturale,* n° 34, "Concevoir", 4° trimestre/*4th quarter* 1993

"The Path Between Abstraction and Metaphor", sobre/*on* Toyo Ito, The Japan Architect Library, Verano/*Summer* 1993

"Construire à Paris", "Coffre à Bébés", *Archimade,* n° 40, Junio/*June* 1993

"Architecture et Art", *Architecture d'Aujourd'hui,* n° 286, Abril/*April* 1993

"Fonde l'amour des tours", *Alliage,* Primavera/*Spring* 1993

"Débat, Henri Ciriani", *Architecture d'Aujourd'hui,* n° 282, Septiembre/*September* 1992

"Dessinez, enfants !", Ville d'enfants, Group SCIC, l'idée juste, Abril/*April* 1992

"Philippe Deslandes", "Deslandes par Deslandes", *Regards,* Tempera Éditions, Septiembre/*September* 1989

"Tonka l'Utopiste", *Écrire, dessiner un livre d'architecture,* Centre Pompidou, Febrero/*February* 1988

"Dissocier pour composer", *Techniques et Architecture,* n° 380, Noviembre/*November* 1988

"Jalons d'une mécanique esthétique", *Techniques et Architecture,* Febrero/*February* 1988

"Denis Pondruel, sculpteur Français", Febrero/*February* 1985

"Le jouet, la lettre et la mécanique", *Architecture d'Aujourd'hui,* n° 241, Octubre/*October* 1985

"Décembre au bord de la mer", *Aller-simple,* n° 3, Febrero/*February* 1982

"Furieux paradigmes et contradictions révélées", *Architecture, Mouvement, Continuité,* con/*with* Michel Gravayat, Jean Nouvel, Martin Robain, Noviembre/*November* 1981

"Doctrines, certitudes", *Cahiers de la Recherche Architecturale,* n° 6-7, Octubre/*October* 1980

Agradecimientos

Quiero expresar mi gratitud y agradecimiento a todos los colaboradores de mi despacho sin los cuales estos edificios no podrían haber sido concebidos ni construidos. Estoy pensando en Arnaud Bical, Sonia Blaisot, Jean-Pierre Buisson, Sonia Cortesse, Laurent Courcier, Stéphanie de Lajartre, François Defrain, Alexander Dierendonck, Jacques Duflos, Dominique Garcin-Delors, Claire Guieysse, Anette Hegerl, Catherine Jouanneau, Yann Keromnes, Rémi Martinelli, Sabine Mounier, Michel Mourlot, Jacques Moussafir, Alice Perrotte, Alain Rihn, Antoinette Robain, Evelyn Roussel, Claire Sevaux, John White, Raymond Winkler, y tantos otros que por falta de espacio no puedo nombrar.

La mayoría son amigos al igual que los arquitectos asociados con los que he trabajado: Atelier 4 en Clermont-Ferrand, B. M. C. Architectes en París, B. N. R. Architectes en Rennes y Jérome Nouel en Fort-de-France.

Maqueta y fotógrafos

La configuración de la maqueta de este libro ha sido realizada por Anne-Flore Guinee y Alexander Dierendonck.
Las fotografías son de: Nicolas Borel, Christophe Demonfancon, Georges Fessy, Anne Favret, Xavier Güell, Patrik Manez y Marcus Robinson.

Acknowledgements

I would like to express my gratitude and thanks to all of the people who worked in my office, and without whom none of these buildings could have been conceived or constructed. I am thinking here of Arnaud Bical, Sonia Blaisot, Jean-Pierre Buisson, Sonia Cortesse, Laurent Courcier, Stéphanie de Lajartre, François Defrain, Alexander Dierendonck, Jacques Duflos, Dominique Garcin-Delors, Claire Guieysse, Anette Hegerl, Catherine Jouanneau, Yann Keromnes, Rémi Martinelli, Sabine Mounier, Michel Mourlot, Jacques Moussafir, Alice Perrotte, Alain Rihn, Antoinette Robain, Evelyn Roussel, Claire Sevaux, John White, Raymond Winkler, and so many others whom the shortage of space prevents me from mentioning by name.

Most of them are friends, as are the architects with whom I have worked: Atelier 4 in Clermont-Ferrand, B. M. C. Architectes in Paris, B. N. R. Architectes in Rennes and Jérome Nouel in Fort-de-France.

Layout and photographers

The design of the layout of this book was carried out by Anne-Flore Guinee and Alexander Dierendonck.
The photographs were taken by: Nicolas Borel, Christophe Demonfancon, Georges Fessy, Anne Favret, Xavier Güell, Patrik Manez and Marcus Robinson.